不開心當然會生病

情緒排毒治百病

加拿大自然醫學博士
王永憲 著

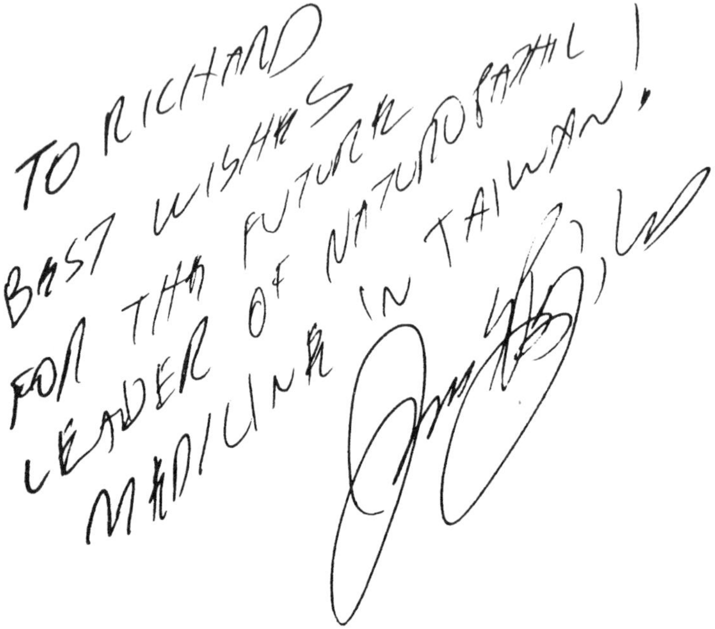

TO RICHARD
BEST WISHES
FOR THE FUTURE
LEADER OF NATUROPATHIC
MEDICINE IN TAIWAN!

給 Richard（王佑驊）——台灣未來自然醫學領航者最好的祝福。

喬瑟夫·皮左諾 醫師（Dr. Joseph E. Pizzorno, Jr., N.D.）

（美國國寶級自然醫學醫師、Bastyr University 創校校長、自然醫學教育議會創辦人，首位非西醫美國 Medicare 健保範圍顧問委員，美國白宮自然醫學政策委員、西雅圖國王郡衛生局會員、公共衛生組織主席、微軟公司健康顧問）

【推薦序】

一場身心靈完整醫療改革

醫療若不從「身心靈」的完整醫療下手，是無法根治或解讀現代人層出不窮的病痛，主流醫學也證實這觀點，卻礙於實證科學的限制而不知如何解套。世界第一本談論生理學的著作即中國的《內經》，已經提供身心靈的完整醫療，也礙於實證科學而漸漸被中醫界自我否定。然而，主導主流醫學的西方，卻長出「自然醫學」和「能量醫學」，造成擁有千年「身心靈」完整醫療發展史的東方，卻要到西方學習完整醫療！

作者深入淺出地介紹自然醫學如何用「心」治療身體，喚醒大家注重完整醫療，而不要太偏重只知射下目標病變部位的主流醫學。事實上，要改變醫療行為的不是醫生而是病人，若病人大膽去嘗試完整醫療（中醫、自然醫學、能量醫學），就會改變醫療市場，所以本書是在進行醫療改革，真正關心你們的健康，灌輸大家正確的健康概念。

個人專研脈診十二年（二〇〇三年開始），發現脈診是唯一非侵入式、可以量測全身健康狀況的工具，透過脈診了知全身健康狀況之後，用藥遣方如同佈陣的全身醫療，就非常迅速的療癒疾病，其速度之快，常常超乎各位對中醫慢治的想像，療效也常遠遠超過主流醫學的想像。由於脈診礙於實證科學的問題，也是躺在中醫二千多年，最近經由個人的突破，發展出可見脈象，使得脈診進入實證科學體系，正以中醫的全身醫療漸漸地影響主流醫學，修正主流醫學之目標導向治療的錯誤觀點。

各位務必要嘗試作者提出的簡易情緒排毒法，譬如EFT（自情術）或TAT（達帕思術），當你有所體會時，就會對完整醫療產生信念，雖然每個人的信念信號很小，但大眾聚集信念之後，就會匯成一股強大力量去修正主流醫學的方向，這對自己的健康幸福很重要。其實情緒排毒法、同類療法、花精療法皆源自中醫，中醫二千年來早有許多情緒治療技術（針灸、方劑、藥物），各位不妨由自然醫學的體驗，也來了解中醫，擴展自己完整健康的正確概念。

作者提及自然醫學的靈療技術，這也是東方擅長的技術，道學的「道」與佛學和瑜伽的「禪」都是，其中以佛學三藏十二部經說得最清楚。自然醫學的母體（記得《The Matrix》（駭客任務）這部電影）、能量場或訊息，可比擬於佛學的「阿賴耶」（第八意識）或心田，母體或阿賴耶會將大家日常的思維全部儲存，才能支持「因果論」的存在價值；而阿賴耶處理速度之快，一彈指的時間就有百千訊息流過。這大家難以相信，若舉例現今電腦幾G的處理速度，各位就會明瞭。由於速度太快，若非進入甚深禪定或透過祈禱，是無法體會能量場的。

我們生病的第一根源是靈的能量場出問題，一般人可從過去記憶去體會可觸及的能量場（即潛意識），身心靈界以「內在小孩」或「分靈體」來歸類一般人可觸及的潛意識（或習慣）

來進行靈療，這是相當聰明而大家都可親自體驗的技巧，值得大家嘗試。

現在主流醫學主導全世界的健康，已經發現越補洞越大，健保體制搖搖欲墜就可知道主流醫學單一目標療法的明顯錯誤。聰明的你們，難道要把各位的健康全部交給主流醫學去處理嗎？主流醫學有其強項，本來就應該要善用，但其弱項卻是其大無比。若你的健康已非主流醫學所能迅速或妥善處理的，不妨以開放胸襟接納且親自體驗中醫、自然醫學、能量醫學的「身心靈」完整醫療，為自己的健康找到多樣化的組合，才是真正的多愛自己和多愛家人一些，也進而促成完整健康的社會。

中山大學醫科所所長／羅錦興

目錄

ch 2

情緒排毒法 79

ch 3

打造身心靈健康的人生 161

ch 4

疾病，是你的情緒地圖 203

ch5

破解治病的迷思 251

【作者序】

排毒，必須從心排起

在多年的臨床經驗中，我觀察到主流醫學很多的觀點本末倒置，很多的疾病在一定程度的治療後，就無法再進步，只著眼在趕緊把症狀消除；而慢性病除了要吃藥控制以外，沒有從根源解決，最後浪費許多醫療資源。而身為自然醫學醫師，我們的使命是探索疾病的源頭，這樣才能把病痛連根拔起，而不是單純的對症下藥。

自然醫學並不針對特定的疾病做治療，而是藉由「情緒平衡」、「排除毒素」以及「提升免疫系統」這黃金鐵三角，來讓人體自我療癒。其實，人體的自癒力本身就能治百病。拜自然醫學流行所賜，現在大家都喜歡排毒，但是，不單單身體的排毒是有順序的，全人的排毒順序更為重要。

美國醫學會（AMA）認為，百分之八十的健康問題跟壓力有關；就連比較保守的美國疾病預防管制中心（CDC）也認為，百分之八十五的疾病有著情緒的來源——我們可以簡單地得知：「壓力會對身體的各個層面產生重大的影響。」

壓力是「身體對任何真實或想像的威脅所產生的反應」。你身體對於壓力的自然反應，會對你的自律神經、免疫系統，以及大腦的化學作用、血糖、賀爾蒙的平衡……等，有著極大的影響。尤其是當你不斷地重複同樣的「一個有壓力的想法時」——你便長期讓自己放置及暴露在緊繃情緒的情況。

身體無法分辨出你是「真實遇到威脅」還是你「只是想像有了這個威脅」，你就會進到一個「慢性壓力」的狀態，所有因而產生的負面情緒，像是傷心、難過、恐懼、無力、無助感、憤怒、緊張、焦慮……等，都會因情緒能量的動盪，而轉變成身體上的不適與疾病。

健康飲食一直都是台灣醫學健康書籍近年的主流話題——引申出的概念是「你（包括健康與生活狀態），是你吃出來的」；自然醫學則進一步延伸為「你，是你消化吸收出來的」。但是，在我的臨床經驗卻印證：「你，是你想出來的！」

真正的健康是必須「身、心、靈」三者一體，健康並不局限在身體狀態，也沒有吃對或吃錯那麼單純。情緒錯了，才會吃錯東西（壓力大時，有部分人會想進食甜食或鹹食來「紓壓」）；情緒「錯」了，身體會藉由疾病來提醒我們，這是來自身體的警告。因此，疾病是來自神性給我們自身的一種大愛。

我認為，「排毒，必須從心排起」，將心靈上的毒素排除之後，接續再處理身體上面的種種問題，才能有效率並能夠徹底地療癒——這也是本書副標《情緒排毒治百病》的核心理念。

這本《不開心，當然會生病》是之前《情緒排毒治百病》的增訂版，除了大幅修改了原本著作的一些內容外，並增加了近年來臨床上的許多心得與看法，希望增訂的內容不只能夠啟發讀者的心靈，還能夠鼓勵讀者更加重視身心靈之間的連結。

今日社會之所以產生這麼多使人惶恐不安的社會事件，某種程度上是源自於負面情緒沒有被正視以及沒有確實釋放。我希望能夠透過這本書，為社會盡一點綿薄之力，讓整個世界變得更和平與正向，讓我們的下一代能有一個快樂平安的生長環境。

（補充說明：本書內容僅做保健參考，生病仍須求醫就診。）

加拿大自然醫學醫師
美國自然醫學會認證醫師
王佑驊

〈感謝〉

這本書的完成，除了感謝母親的支持，還要特別感謝引領我入靈性之門的卡米兒；以及身邊許多樂在協助我進行能量與情緒調節，並且帶給我生命支援與挑戰的朋友：歐文、妙瑟與建真。

也感謝推薦本書的美國自然醫學國寶級醫師Pizzorno、身心靈暢銷作家張德芬小姐、中山大學醫科所所長羅錦興教授；以及名作家貓眼娜娜和愛比，提供文稿修潤上的建議。沒有各位，不會有這本精采的著作，在此致上最高的敬意與感謝。

ch 1 情緒與病症之間的祕密

1-0 健康的瓶頸

情緒，真的跟疾病有關嗎？

首先分享一則我在國外當實習醫師時所發生的小故事：

「王醫師！請你快過來看一下！」小文的奶奶著急喊著。我丟下手邊的工作，連忙跑到診所門口，順著奶奶的視線往小文臉上看。

「怎麼了？」當時才兩歲的小文，嘴巴周圍整個腫起來。這是很嚴重的過敏。奶奶哭著說：「小文剛剛不想吃香蕉，我硬塞給她吃，沒想到就腫起來了。她之前吃香蕉完全不會如此，怎麼會這樣？」

我了解了原因，先安撫一下奶奶之後，回頭就與指導醫師商量對策，調配了適合小文當時狀況的同類療法製劑讓小文服用。

約莫十五分鐘後，小文嘴巴周圍的過敏症狀消失了。

這是我第一次親眼見證，小朋友因為內心抗拒不喜歡的食物所產生的壓力，導致過敏的現象。

在小文的這個事件發生以前，「情緒與壓力會導致疾病」的概念，對我來說只不過是教科書上的理論。由於我父親是一位著名的腦神經科醫師，因此從小就灌輸了我凡事實事求是、任何事情都需要實質證據佐證的觀念。

但「情緒與壓力會導致疾病」的概念，在我當上醫師之後，不斷在臨床上親眼證實，許多病人的疾病，無法單純透過生理症狀的調整而治癒，若只專注身體的症狀，很快就會遇到瓶頸。

世界衛生組織早在一九四六年重新定義了「健康」，廣義來說：「健康不僅為疾病或虛弱之消除，而是體格、精神與社會之完全健康狀態。」換句話說，健康不是只有身體的，而是必須包含身、心、靈都兼顧的「全人概念」，才是真正的健康。

而這個健康的瓶頸，必須透過情緒的平衡，才能夠得到有效的進展。

接下來的內容，我將會透過科學、哲理方面的資訊，讓讀者可以清楚了解情緒與身體健康的關聯性，並提供具體且有效的方法，來幫助讀者透過「情緒排毒」來紓解身體的不適。

在開始透過處理情緒的方式讓自己變得更健康之前，我們需要先了解情緒與疾病之間的關聯。

1-1 我生病，故我壞掉？

在主流醫學深遠流長的影響下，只要我們一生病，不管什麼症狀，就會趕緊找醫生——「fix」當下的問題。英文的「fix」，有解決、修理的意思，這裡之所以會直接使用 fix，是因為一般人普遍存在著把自己當成機器一樣，認為只要修理好就會好的觀念。

主流醫學之所以能迅速普及全世界，完全架構在以每個人的身體都是完美運作為前提。因為每個人的心臟都在胸腔偏左的位置，每個人都可能由於攝取過多的脂肪而導致特定某些血管動脈硬化，因此心臟外科手術制定出一套快速又有效率的標準流程，在分秒必爭的緊急情況下搶救生命。試想一下，如果每個人的身體狀況都不同的話（假設A的心臟長在他的腹腔裡，B的心臟長在他的頭蓋骨下），那麼每次手術之前，可能都要先做過精密的核磁共振，重新確認人體裡器官與組織的不同「長法」，那麼「開刀」這件事，對全人類而言就成了大災難了。

但是你有沒有想過，就是因為身體處在一個健康的情況下，你才會生病？這句話聽起來或許很弔詭，接下來我將就這一點繼續說明。

人體有一個平衡機制，叫做「homeostasis」：內環境穩定。內環境穩定是維持生命、組織以及器官生理功能所必須的條件。舉個最簡單的例子：人類是恆溫動物，因此天氣寒冷時，我們的肌肉會藉由收縮與顫抖來產生熱能，皮膚表面微血管透過減少血液的流量來避免熱量散失；我們也會變得食欲大開，並且透過飲食來攝取熱量。當天氣熱的時候，我們的活動力會降低，減少熱能的產生，利用排汗，讓汗水帶走過多的熱量；同時皮膚表面的微血管也由於血液流量的增加，而加速熱量散失。這些機制，都是為了讓人的體內維持在攝氏三十七度的核心溫度。體溫過高，蛋白質分子會分解，導致死亡；然而體溫太低，身體裡的酵素無法進行新陳代謝，也會帶來死亡。

當有細菌或病毒入侵人體時，身體為了抵抗感染，會透過體溫升高的機制，增加免疫系統功能，藉此消滅細菌與病毒。然而，一般人（尤其是小朋友）遇到發燒時，都會趕緊去打退燒針或吃退燒藥來阻止體溫持續高燒。然而這只是表面的體溫降低，卻破壞了身體免疫系統的運作，而入侵身體的病原體也因為少了阻止它們的力量，而在人體裡大肆破壞（加上西藥的副作用與毒素）。幸好，現在已經愈來愈多醫生明白體溫升高的好處，很多醫生已經不太開藥物給正在發燒的病人了。

我們從發燒的例子可以知道，就是因為身體沒有壞掉，因此在免疫系統正常運作下，我們才會有不舒服的症狀產生。這些所謂的症狀，都只是在做一個訊息的傳達而已。例如發燒，就是在傳達身體有感染或發炎的現象，我們要做的，並不是修理它。

我們每一個生命都是由身、心、靈三個部分組成的完整個體。除了身體症狀的訊息外，我們也要探討，當身體有不舒服時，心靈方面要帶來什麼樣的訊息。因為，無論何時何地，你的心靈也像身體一樣，是完美運作著，所以才會產生情緒方面的問題。

Dr. Wang 怎麼說

疾病只是一個信差

已婚的江小姐與婆婆在小孩的教育方面有嚴重的意見分歧，導致江小姐因為長期受到婆婆給予的精神壓力，累積了過多的情緒，最後被診斷為精神分裂症，經常必須服用醫師所開立的藥「理思必妥」——抑制多巴胺分泌的藥物。因為精神分裂症的人，體內的多巴胺分泌較常人旺盛。

這樣的思考邏輯看似實際，但真正追究起來，並不能治本，更別提服用「理思必妥」之後，其副作用——焦慮與頭痛，更會令人困擾。

後來我針對江小姐的情緒狀況，開了五種巴哈花精「Chestnut Bud、Aspen、Cerato、Heather、Chicory」給她，再搭配一些同類療法製劑。一個月之後，她的情緒漸漸得到舒緩。（請注意，巴哈花精的配方是極度個人化的，並不是每個精神分裂症皆適合此組合。）

當我們了解到情緒與身體症狀的關聯之後，將會發現，疾病只是一個帶著訊息而來的使者。主要的目的是在告訴我們，情緒或思想方面出了問題，只要找到情緒的根源，讓它恢復平衡，那麼疾病自然不藥而癒。

但是一般人的習慣是，生病了，不管三七二十一，先「治好」（消除症狀）再說，這其實是一種倒果為因的行為。

中國古代有「兩國交戰不斬來使」的說法，因為使者的功能是幫助重要訊息的傳達。使用西藥將症狀消除，就跟斬殺來使沒什麼兩樣。以為使者死掉了，就不再有任何敵軍來襲嗎？事實上，後面的問題才多著呢。

再次強調，疾病是有意義與目的的。這是一個警報系統，透過這個系統來讓你的意識了解到你必須活在真相，必須依照自己最高、最真實的價值觀生活，然後重新覺醒到一個新的覺知與回歸平衡。當你做到的那一刻，疾病自然就沒有存在的必要了。

《黃帝內經》有一段話：「聖人不治已病治未病，不治已亂治未亂，此之謂也。夫病已承而後藥之，亂已成而後治之，譬尤渴而穿井，鬥而鑄錐，不亦晚乎？」

因此，我認為真正的醫學應該要在情緒（能量）還沒有形成疾病（物質）之前，就要先調和情緒，這才是「上醫治未病」，也是西方自然醫學與傳統中醫共同的全人治療觀。

Dr. Wang 怎麼說

有病是你的錯？病是你吸引而來的？

很多人看了《祕密》，或是閱讀了一些身心靈書籍之後，可能會因為書上說「你創造你的實相」，會得到「有病是我的錯」、「這一切都是我吸引而來」的結論。但是事實真是如此嗎？

其實事件本身並沒有分好或壞，就是中立、「如是」（what is）而已。而我們的心智會透過三個問題來評斷一件事情：「發生了什麼事情？」、「這件事對我有什麼意義？」、「我該如何反應？」，以上的過程會在電光石火的瞬間完成，然後得到一個好或壞的結論。當你用一個不平衡的角度來評斷身邊發生的任何事件時，你也同時讓你的自律神經失去了平衡，間接造就了疾病產生的可能性。

有些人可能會說，「一切都是我吸引而來的」的想法是在怪罪受害者，一個「不好」的事件發生在一個「無辜的受害者」本身，更是一個非常不成熟、老舊且過時的想法。事實上，從來就沒有「不好」的事情，更沒有「受害者」。

我再次強調，事件本身並沒有分好或壞，就是「如是」而已，在深層的宇宙意識中，存在著我們所不知道的隱藏秩序。

你的信念與價值觀會決定你面對任何事件發生時所「選擇」的情緒，不管我們做了什麼選擇，都是因為我們認為當下選擇所帶來的好處多過它所帶來的壞處，否則我們不可能做出這樣的選擇。但是大部分人並不了解這樣的機制，因而產生了負面的情緒，對現實產生了抗拒，甚至演變成疾病。

當我們出自於本能去抗拒這個現實時，我們會因為鑽牛角尖而感到心情很糟，然後走不出這個死胡同；可是當我們了解到這一切都只是平衡、只是我們能力範圍所及的事時，我們會來到一個充滿愛與感恩的狀態，你會單純地「活著」，並且因為感受到自己是宇宙的一部分而感恩，身體自然也會很容易恢復到健康的狀態。

所以從這個角度來說，疾病並不是不好、並非是壞事，它是一個帶著警訊的信差。任何一個症狀的存在，我們都可以把它當作學習如何平衡自己內在與外在的機會；我們可以把它當成一份禮物，看看它到底要傳達什麼訊息給你，來讓你的生命變得更美好。

疾病並不是要來毀滅我們的恐怖惡魔或詛咒，而是一個幫助我們取得情緒平衡，讓我們重新看待人生，具有極高價值的生命機制。

1-2 六歲以前決定你的一生

人的信念系統大約是在六歲的時候完成。兩歲以前，大腦都是在δ波（delta）運作，二到六歲的大腦則是在θ波（theta）運作。而這兩者都是在對個案下指令做催眠時所需要的波長。

小朋友的學習就像海綿一樣，不管周圍有什麼，都會照單全收。除非主動改變，否則我們長大以後，就會依循小時候所學習到的模式思考，並加以行動、運作。

當然，我們不能說這些學習與影響都是不好的。舉例來說：一個小孩需要學習什麼是界線，超越了哪些界線可能會導致危險，因為這些都是生存必須具備的要件；同時，這些「界線」也會是創傷，在小朋友成長過程中是極具破壞性的主因之一。然而小孩需要「界線」的概念才能成長。

我們舉一個例子。「害怕」，是一個最常被使用到形成界線的工具。當小孩覺察到父母一個不耐或憤怒的眼神，還是發出生氣的聲音，小孩就知道自己跨越了父母的界線，他可能會遭殃。而界線慢慢成形中的小孩，特別容易被創傷所影響。這是因為創傷發生的原因往往來自界線的崩壞，讓他們對於自己以及所處的世界，失去了安全感。而當不斷缺乏安全感的認知在孩童時代成形之後，就會造成日後的問題。

父母對於小孩的教養與界線，來自於父母本身的信念與價值觀。有人嚴厲、有人主觀，也有人愛批判或比較暴力。如果父母對小孩的態度較暴力（未必是肢體上的暴力，言語或精神方面的高壓管束也算），小孩往往會吸收並學習這樣的模式，可能會形成疾病或日後以同樣的方式對待身邊的人。所以，在小孩的成長過程中，會從父母身上學習到種種對於壓力的應對方式，然後再學會製造出自己的界線，透過界線，才能給自己空間。人與人之間的互動必須有一定的界線與規範，這點是無庸置疑的。

小朋友經常會因為他們的行為而被貼上種種標籤，例如你不乖、你很笨、你不可以這樣、你不值得、你很自私、你這懶鬼等。這些來自別人的標籤會像唱片重播一樣，在小孩心中造成壓力，並且成為事實。

因此，你會發現很多小孩（甚至長大成人後）會缺乏自信，總是覺得自己不夠好、不夠漂亮、不夠聰明、不夠快、不夠特別。當然，會對小孩說這些話的人，在孩童時代往往也是這些外來標籤的受害者。

這是一種不太正面的傳承，但我們不能就此認定當父母的有什麼對與錯，只能說他們也是在複製上一代暴力式的關愛罷了（當然，網路普及後，孩童在六歲以前接觸學習到的東西也更多、更複雜）。但別忘了，即使是暴力式的關愛，也是愛的一種表現，只是他們從來沒有學習過，也不知道還有其他表達愛的方式而已。

隸屬於美國衛生部的疾病防治中心在二〇〇八年發布了一項研究報告：針對一萬七千名成人進行調查，想了解他們在童年時是否受過不當的對待（包括父母之間的暴力，或是家暴、性侵、遭受冷落、父母離婚、酗酒或使用毒品等），跟他們成年後身心健康的關聯性。

研究中指出，童年時曾受到不當對待的人，長大後較容易出現有以下狀況：酗酒、心血管疾病、憂鬱、猝死、藥物濫用、慢性肺部問題、肝病、被伴侶家暴、多重性伴侶、性病、菸癮、自殺、意外懷孕或未成年懷孕等，其中自殺傾向更是一般人的兩倍。

美國創傷專家勞伯．思卡爾醫師（Dr. Robert Scaer）指出：「當原本是安全的界線崩壞之後，人生後續對創傷的認知也會出現主觀性的偏差，甚至會把小創傷透過放大鏡來檢視。」中國有句名言：「一朝被蛇咬，十年怕草繩。」就是非常相近的論點。雖然潛意識會保護我們不要再去經歷相同的創傷，但是如果我們一直把小警報當成大災害來處理的話，身心很容易耗損到潰不成軍。

大家耳熟能詳「孟母三遷」的故事吧，數千年前孟母可說是一位了不起的兒童心理學家。但是，除了遷離外在環境之外，我們更該重視的是自己給孩子一個怎樣的家庭環境。其實，傷害與負面影響並不能全部歸咎於外人，有時候自己對孩子的影響扮演了更重要的角色。

情緒與健康都會傳承給下一代

有許多前來諮詢的個案會問我：「我家有某某病的遺傳史，我好擔心我也會有，怎麼辦？」雖然不論是主流醫學或是自然醫學，在臨床訓練上都教導醫生必須將病人的家族病史列入考量，然而你是否健康、會不會得某種病，真的都和「遺傳」有關嗎？

照目前的科學認知，我們每個人的身體都經過世世代代基因相互流傳，你永遠也不知道今天賣咖啡給你的店員，數十代以前可能和你的家族有某些親戚關係。總之，如果要深入探討基因遺傳，每個人身上或許都遺傳了十幾、二十種病，只是你不知道而已。

因此，重點不在於你可能會得到什麼病，而是它的「觸發點」是什麼？舉例來說，大部分肥胖的人，有可能是因為父母本身飲食習慣不正確，喜歡高油脂、高糖的食品，或者外食時間較多，小孩跟隨這樣的成長習慣，可想而知體型也會變得與父母相近，可是大家往往歸咎於「我胖，是因為父母也胖」。

除了「吃」這個動作，我們可別忘了吃的情緒。以我的朋友菱菱為例，她們一家人都很胖，而她則常常在工作忙、壓力大的情況下，約朋友去吃到飽的餐廳。她之所以會有這樣的行為，表示她是以吃來發洩工作上的壓力（當壓力導致腎上腺素上升，會影響選擇吃的正確性與時機）。一問之下，她家果然有以「上館子吃大餐」來安慰或獎勵家人的習慣，所以每當菱萎心情不好或有好事發生時，都會想大吃一頓。由此可知，家庭影響了她的飲食習慣與飲食心態，如果排除這兩個因素，她還會是個胖子嗎？

另外，如果你曾留意過罹患心血管疾病的親友，就可以發現，患者本身或他的家庭環境，大多較為嚴厲且情緒化（易怒）。差別在於，為人父母者可能是造成這種情形的加害者，而被責罵長大的子女則是受害者。如果子女不懂得自我調適、釋放負面情緒，持續受父母潛移默化的影響，長大之後也會採用高壓、暴躁的教育方式，並且容易與父母一樣，在老年罹患心臟方面的疾病。

主流醫學認為心血管疾病的成因，不外乎是高血壓、糖尿病、高膽固醇所造成的。如果父母處理壓力的方式就是靠吃來發洩，連帶下一代也學習到同樣發洩壓力的方法，壓力愈大，就愈吃下高油脂、高糖的食物。那麼，心血管疾病真的是遺傳造成的嗎？所以到底什麼是遺傳？什麼是後天影響？這一點，並不是基因決定一切。我認為，這是一個值得大家深思的問題，我們必須從生命與生活的種種面貌，來檢視疾病到底是怎麼來的？

1-3 時代不同，壓力也不同

如果負面情緒和壓力是這麼麻煩的事情，為什麼我們會有這樣的困擾呢？我們必須要從演化的角度來解讀這個問題。

我們可以想像一下，大約在兩百五十萬年前，石器時代的人們生活大概是這樣：起床以後，獵人們結伴出門狩獵。運氣好的話，可能遇到體型小的野生動物，像是兔子或豬，他們不需要花費太多體力就可以獵取到生活所需的肉食；如果運氣差一點，遇到比較兇猛的野獸，像是劍齒虎的話，恐怕就要面臨一番廝殺的苦戰，贏的話當然可以豐收而歸，一頭劍齒虎還能夠吃上好幾天。如果打不過劍齒虎，就得趕快逃命，以免變成劍齒虎的食物。

聽來有沒有很熟悉？沒錯，以上兩種選項就是「戰或逃」反應（"Fight or Flight" response）的由來。

原始人的生存環境可能會犯下兩種錯誤：

一、認為樹叢後面有一隻劍齒虎，但實際上並沒有。

二、認為樹叢後面沒有劍齒虎，但實際上真的有。

犯第一個錯誤的代價是無謂的緊張和恐懼，而犯第二個錯誤的代價，則是自己的生命。

所以在演化的過程中，我們寧可犯第一個錯誤幾千萬次，目的就是不讓自己有機會犯第二個錯誤，因為只要一次，我們的生命就結束了。人體大腦的功能就是過度高估威脅、過度低估好機會，以及過度低估自己手邊可以對抗威脅的資源。

我們透過事實的證據、合理化解釋以及情緒，以上三者建立了信念系統（關於信念，在後面的章節將有更詳細的說明），並確認了這樣的資訊，接著決定忽視與此無關的資訊。在我們大腦裡的杏仁核有著「情緒中樞」或「恐懼中樞」之稱。杏仁核裡的特定區域，會「因為學會害怕」（尤其是來自幼童時期的經驗）而產生焦慮、恐懼、急躁、驚嚇等等記憶。這是不可避免的機制，因為原始人必須透過負面情緒的學習來提升自己在野外存活的機率。

為了能夠「生存」，導致生活在現代的我們，經常會對一些無傷大雅並且有能力處理的小事感到焦慮、擔心與害怕；另一方面對於超過自己期望的機會則不抱持太大希望。

其實大腦很容易被「紙老虎」所驚嚇，導致自己虛驚一場。這是一個完全正常的機制，甚至我們可以說，為了「生存」，人類天生就是負面思考的，太樂觀的人，他的基因恐怕很難從石器時代傳承至今。所以「負面思考」與「情緒」是你能夠活著的最大功臣。

不管是打獵成功，或是要逃命，整個過程並不會花費太長時間，大約三十分鐘到一小時就可以決定結果。所以原始人每兩、三天就需要花費半小時來面對壓力。

反觀現代人呢？我們一整天從起床開始，就要面臨八小時以上的工作時間，下班回家若與家人關係不好，那麼又是數小時的煎熬；很多人甚至因為壓力太大，自律神經失調導致失眠，接著又是數小時在床上翻來覆去。

因此現代的我們要面對的壓力比原始人增加許多，但是你有沒有發現到，我們身體的構造數百萬年來幾乎沒什麼改變。換句話說，我們的身體的創造並不是為了用來長時間承受龐大壓力的，難怪現代人的情緒那麼容易失控，我們的身體這麼容易出問題！

因此，為了順應時代的改變，身為現代人的我們必須要有一套新的方法，一套原始人所沒有的紓解壓力的方法，這就是這本書存在的目的！

Dr. Wang 怎麼說

人不能沒有壓力！

當我們面對壓力時，人體會啟動跟其他哺乳類、爬蟲類、兩棲類，以及較低等生物一樣的免疫系統路線，這是生存的機制：因為當我們處在「戰或逃」反應時，我們對任何威脅都處在警戒的狀態，我們的身體會回復到原始生物處理危險的本能。情緒方面也一樣，當我們在面對壓力時，我們會因為腦部血液只在「爬蟲腦」運作（血液在「戰或逃」反應時會集中到四肢，因為相對於這時候，大腦認為逃命這件事較不那麼重要），我們無法做出很有覺知與清醒的思考，因此只能靠過去的重複模式運作（來逃跑）。所以當社會面對壓力（經濟衰退或戰爭）時，人們通常會比較保守，像是回到舊有的宗教信仰，或是打造比較舊式風格的建築。

不管是正面或負面的情緒，只要你的感受愈不平衡，你的表現就會愈原始（爬蟲腦）。你的

感受愈平衡，你的表現就會愈進化、愈文明（全腦）。一個人的最佳成長（進化）狀態是在挑戰（壓力）與支援之間。（見圖）

當你認為你與周遭環境是平衡的，你就會得到生命中最大的轉化與成長，你的身心就會很健康。反之，如果你認為世界不符合你的期待時，你會產生不平衡，但卻又想在這不平衡當中生存，因此你就會生病、就會退步。

再次強調，疾病是有意義與目的的，這是一個警報系統。透過這個系統來讓你的意識了解，你必須活在真實之中，必須依照自己最高、最真實的價值觀生活，並且回歸平衡。當你做到的那一刻，疾病自然就沒有存在的必要了。

當你經常性的感恩（可能伴隨著許多感恩的淚水），或是你熱愛你的生命與現實，做著符合你生命價值觀的事情之時，你就是活在真實當中了。

每個人都希望能夠依照自己原本的樣子，被他人所欣賞與愛著。所以「愛」與「感恩」是指標，是通往身心靈健康最後的關鍵，就是這個意思。

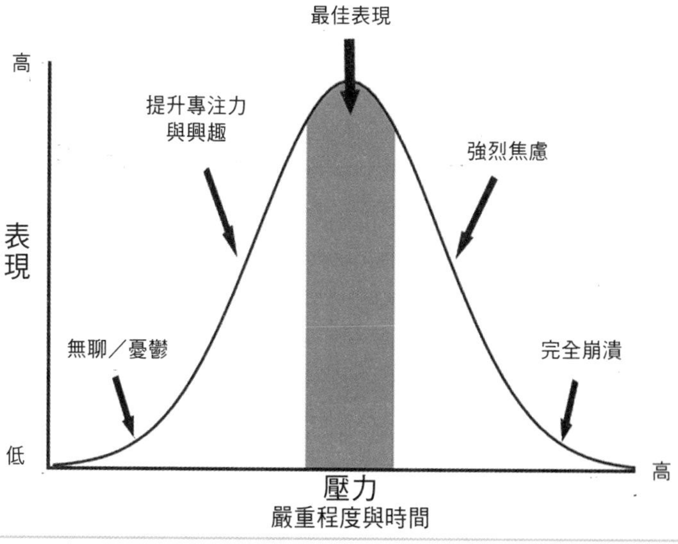

在適當的壓力下，人才會有最好的表現。

1-4 情緒造成自律神經失調

人體健康與情緒有著莫大的關聯。從醫聖希波克拉底，到近代的同類療法創始人哈尼曼醫師、花精創始人巴哈醫師，都非常注重這一點。被稱為身心連結先驅的美國著名療癒師露易絲．賀（Louise L. Hay），在五十二歲時，她被診斷出罹患子宮頸癌，她透過釋放在童年時期受虐所累積的憤怒與怨恨，在短短六個月的時間，讓她體內的癌細胞消失。一九八〇年代，她就首先強調了正面思考與情緒排毒有助於身體健康，只可惜當時這個概念不被主流社會與醫學接受。但是經過她長年推廣身心連結的概念之下，她所創辦的賀氏書屋（Hay House）成為當今出版身心靈書藉最大量的出版社。

意識的力量是多麼的偉大！「心」不只是心臟，也是指腦內思考和全面性情緒的總和。國際知名的腦神經與藥劑學專家坎德絲．帕特（Candice Pert）博士，透過實驗證明了我們的情緒不只和腦有關，傳導情緒反應的關鍵是神經胜肽（neuropeptite），而體內每一個細胞都有著情緒的接收器，會蒐集周圍的指令，命令細胞進行分裂、再生、成長、耗損或保留能量、修復及對抗感染等。

細胞與細胞之間的訊息溝通，是仰賴賀爾蒙神經傳導者（neurotransmitters）與胜肽，而它們的角色，就是身心對話的基礎結構，負責人體內身心資料的傳遞。胜肽和接收器是情緒的分子，情緒則是有形的肉體和無形的心智之間的聯繫，每一個細胞上的接受器則是情緒發生的地點。

在我們的身體裡面，接收器根據經驗與價值觀調整生理反應，情緒影響著分子，而分子影響到我們的感受。帕特博士特別強調，胜肽和接受器本身並不會產生情緒，而我們所體驗到的「感覺」則是當胜肽和接收器結合時所產生的能量震動。

因此，隱藏在「感覺」底下的，就是情緒在潛意識層進行資料交換。換句話說，你的身體就是你潛意識的鏡子，因此只要你能夠改變你的信念與情緒，自然就能影響到你的身體。

自律神經掌管身體內臟系統的平衡

情緒是怎麼來的？每一個人都透過一套屬於自己的信念與價值觀在運作著。價值觀，是透過從小到大的環境，父母、師長與社會影響出來的結果；而這個價值觀，會隨著你生命中不同舞台與狀態而改變。舉例來說，一對夫妻一起到購物中心逛街，太太可能會把養育孩子的價值觀擺在優先地位，所以她會被小孩子的衣服、書籍、用品所吸引；先生若是以賺錢導向為優先的話，他就會比較注意投資可能性、參考店鋪裝潢擺設等等細節。

維持我們人體「homeostasis」功能的是自律神經。自律神經是自動作用的神經系統，它以下視丘為中樞，掌管的是身體各個內臟系統的平衡。自律神經系統主要負責的是我們不需要意識控制的功能，像是呼吸、心跳、消化吸收，以及性慾。它的運作與我們的意志無關，你無法叫心臟停止跳動或是不要消化食物，這些是自律神經所掌管的功能。

自律神經分為交感神經與副交感神經，我們可以把它們想像是車子的油門與煞車。當你的心智處於平衡而沒有負面情緒的時候，你的自律神經系統自然就會維持在一個平衡的狀態。反過來說，當你的心智被負面情緒所影響時，你的自律神經系統就會進到一個不平衡的狀態。

而這個不平衡，在生理上來自於自律神經系統的兩個分支：交感神經與副交感神經。

交感神經系統

這個系統負責的是壓力處理的能力，也就是之前提過的「戰或逃」反應。所以它會在白天，或是當你面對挑戰或威脅時特別活躍。威脅，可能會來自於實體的天敵（例如遠古時代人類遇見了猛獸，有生命威脅）；或是情緒面的，像是工作截止日、跟伴侶吵架，或要做出一個很難決定的選擇。我們之所以會啟動壓力反應是因為我們的生存／生命受到威脅，或是失去你所依靠的人、事、物，以及對於你較高價值觀的挑戰。

想像你在公園散步的時候，突然跳出一隻老虎！這時，你的交感神經系統會讓你的身體處於一個非常緊繃的狀態，你會有呼吸急促、肌肉緊繃、心跳加快、瞳孔放大等等自然湧現的生理反應。這些生理現象都是為了讓你準備好戰鬥或是逃跑的必須反應。其實，不管當你遇到的是實體的威脅，還是情緒上的壓力，你的身體都會產生同樣的反應。

副交感神經系統

自律神經的另一個系統就是副交感神經，這個系統主要是在晚上的時候比較活躍，因為它負責的是休息、消化吸收與排泄的反應。

當你感覺到很安全而且是被保護的時候，你的副交感神經會讓你的身體冷靜、放鬆。你的呼吸變慢，肌肉放鬆，心跳緩和下來，瞳孔縮小。這是你消化食物、吸收養分、休息、放鬆，排泄以及睡眠的最佳狀態。

我們的身體需要交感神經與副交感神經兩者的存在，足夠的挑戰與期待讓我們起床，以及足夠的支援與安全讓我們睡眠。

副交感神經太活躍，代表我們從沒有準備好接受生命的挑戰，沒有準備好去追尋我們人生真正想要的目標。在大自然的環境中，副交感神經活躍會使我們成為獵物：當我們吃飯、休息、性交，或是我們只是漫無目的的放鬆而沒注意到周遭環境時，我們很容易會讓自己暴露在被天敵狩獵的危險之中。

「戰或逃」以及「吃與睡」兩者都是維持我們生命不可缺乏的因素，而且會導向兩個完全不同極端的情緒：

交感神經的「戰或逃」或是壓力反應，會導致憤怒、恐懼、焦慮、憂鬱、懊惱等負面情緒的產生——狩獵者狀態。

副交感神經的「吃與睡」，或是放鬆反應，則會導致迷戀、快樂、性慾、滿足感等正面情緒的產生——獵物狀態。

兩個不同極端的情緒，會影響你的臉部肌肉，而這些會直接反映出你內在最真實的想法與感受，當你開心的時候你會微笑，生氣或傷心時你會皺眉等等諸如此類，人類面部的微表情，會透露你內心的一切。

除了臉部肌肉，身體的肌肉同樣也會反映

交感神經與副交感神經作用表

器官	交感神經	副交感神經
瞳孔	擴大	縮小
唾液腺	量少而變濃	量多而變淡
口／鼻腔黏膜	黏液減少	黏液增多
心臟	心跳加快	心跳減慢
肺	支氣管肌肉放鬆	支氣管肌肉收縮
胃	降低蠕動	蠕動增加
小腸	蠕動減少	消化作用增加
大腸	蠕動減少	蠕動增加
血壓	上昇	下降
消化液的分泌	抑制分泌	增加分泌
膽囊	停止膽汁的分泌	增加膽汁的分泌
膀胱	擴大（閉尿）	收縮（排尿）
陰莖	血管收縮（射精）	血管擴大（勃起）
子宮	收縮	擴張
白血球數	增加	減少
呼吸運動	促進	抑制

你的想法與感受。當你覺得你遇到困難，遇到挑戰，你的身體會啟動交感神經系統，肌肉會緊繃，四肢會呈現向外的方向來動作，就像貓咪遇到敵人會全身毛髮豎直的樣子；而當你要休息的時候，肌肉會放鬆，四肢呈現向內的方向，就像貓咪綣曲著身體休息睡覺的樣子。

一切問題來自信念與價值觀的衝突

就像汽車需要油門或煞車，同樣地，我們的身體也需要交感神經與副交感神經，才能帶領我們人生在一個平衡的穩定機制下往前邁進。所以，當我們面對壓力，交感神經啟動，我們做出適當的反應後，副交感神經會接手，讓身體不要處於緊繃的狀況，可以放鬆與休息。身體的許多器官都是自律神經掌管才能運作的，如果自律神經失調，影響的層面是非常深遠的。

自律神經失調畢竟只是情緒出問題的最後結果，但是，一個能夠維持身體平衡的自律神經系統，究竟為什麼會失衡呢？

一切的問題來自於你的信念與價值觀的衝突。當你覺得你都是對的，你會期待世界要來符合你的價值觀；當你的價值觀受到挑戰時，你會發現事情跟你所想的不一樣，你會心情不好、會鬱悶，甚至會憤怒。在這樣的情況下，你的交感神經系統會被啟動，體內循環系統會把氧氣和葡萄糖透過血液運送到肌肉，血糖會升高，你的全身會緊繃，進到備戰／防禦狀態，身體進入「戰或逃」反應，雄性賀爾蒙大量分泌、新陳代謝降低。所以經常處於高壓狀態的人，會因此較容易有高血糖與糖尿病的情況。這樣的人往往個性較為激進型，總認為自己都是對的，有自己一套做事的方法，別人很難影響他，也給人一種自大的感覺。

相反地，如果你長期處於放鬆與休息的狀態，你的整體個性會屬於比較消極，在狩獵的環境中，你變成了獵物。這樣的情況暗喻你有著「自己做什麼都不對」的人格，你很容易會犧牲自己來取悅／成全別人，你會覺得別人都是對的，或是扮演一個開心果的角色。當你把自己的價值擺得很低的時候，你的價值因為你委屈了自己讓別人開心而很容易得到滿足，所以你不會啟動「戰或逃」反應，換句話說，你會不斷壓抑自己，同時壓抑自己的價值跟欲望。這時，你的身體會啟動消化功能，並且吸收之前輸送到血液裡的葡萄糖，你的血糖會降低。這可能也會抑制你的血糖，導致低血糖的症狀，同時，雌性賀爾蒙也會大量分泌。

再舉甲狀腺為例：甲狀腺在胚胎發育的過程中源自於舌頭，所以包括咀嚼、飲食、吞嚥、說話等等舌頭的工作，皆與甲狀腺的新陳代謝功能息息相關。如果你說了你認為不該說的話，甲狀腺功能會亢進，新陳代謝加快；如果你不能說你想說的話，那麼甲狀腺功能就會低下，你的新陳代謝也會變慢。所以甲狀腺低下的患者通常比較沉默寡言，他們壓抑許多內心真正想講出來的話；相對的，甲狀腺亢進的患者則個性比較外向。

我們可以看到，生理的兩極是來自於不平衡的主觀意識，你的覺知永遠都在隨時影響著你的生理功能。

科學家同時也發現，如果你對於自己有不切實際的期待，尤其是當你不斷逼迫自己活在別人的價值觀時，你所產生的壓力足以使免疫系統運作失常，可能會改變腸道菌叢的生態，最後演變成免疫系統失調的問題。下頁我會用一個簡化的圖表來讓大家了解情緒、自律神經，以及身體健康的關聯。

當你經常處於某種特定的情緒時，久而久之，身體會對這個情緒所產生的化學成分有了上癮的現象，就像酒癮和毒癮一般。一開始你只需要一些情緒來感受這些化學成分，慢慢地身體變得麻痺，你的細胞會變得需要更多的情緒才能感受到同一個程度的刺激。

透過情緒排毒，你可以找到導致你免疫系統失衡的情緒源頭；透過情緒平衡，讓免疫系統回復到正常運作的狀態。

最終來說，身體產生所謂的疾病與症狀，都可以被歸類到主觀意識主導的評斷而產生了兩極化情緒，以及後續所產生交感神經與副交感神經失衡的結果。不管過與不及，都是透過自律神經系統掌管的細胞功能所引起的結果。

你所接受的字眼與思考，會加強大腦裡面神經鏈的連結，進而改變身心靈的整體運作。西醫說：「健康或疾病，都是你吃出來的。」而自然醫學的看法則是：「你是你消化吸收而來的。」但從身心靈的全人觀來看，我們其實可以更進一步說：「你是你想出來的。」

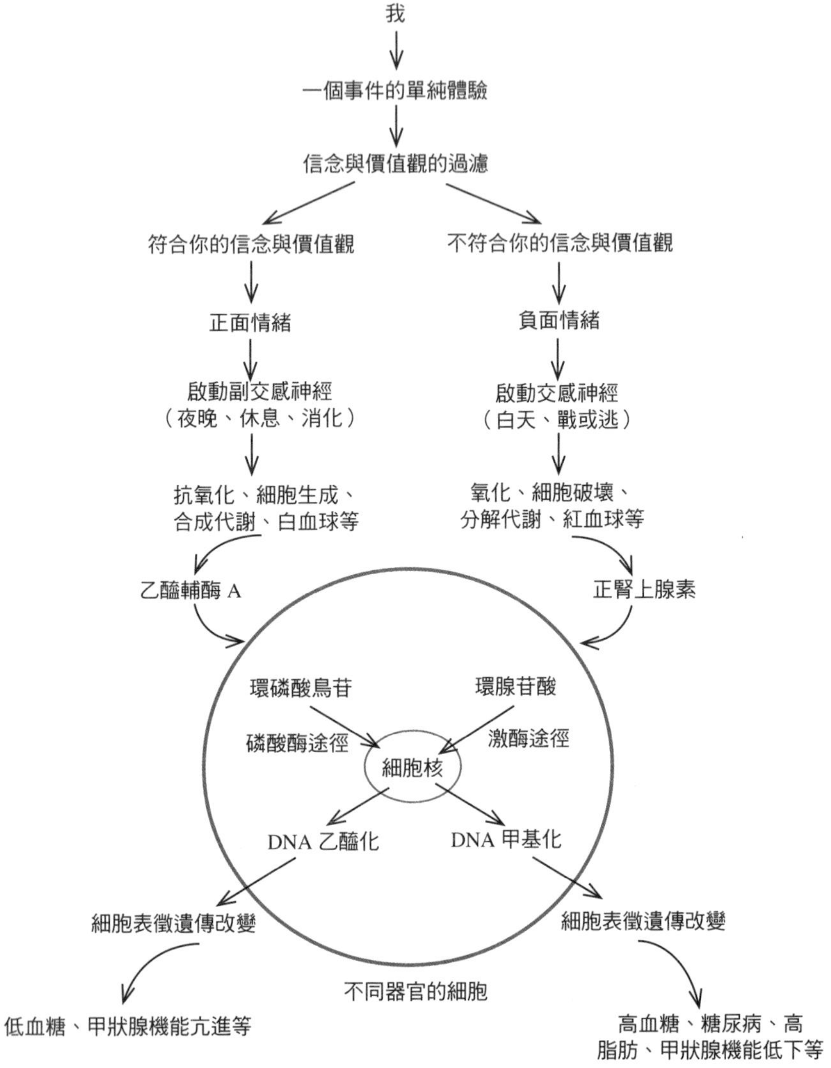

乙醯輔酶 A（Acetyl-CoA）	正腎上腺素（Norepinepherine）
環磷酸鳥苷（Cyclic GMP）	環腺苷酸（Cyclic AMP）
磷酸酶途徑（Phosphate pathway）	激酶途徑（Kinase pathway）
DNA 乙醯化（Acetylation）	DNA 甲基化（Methylate）

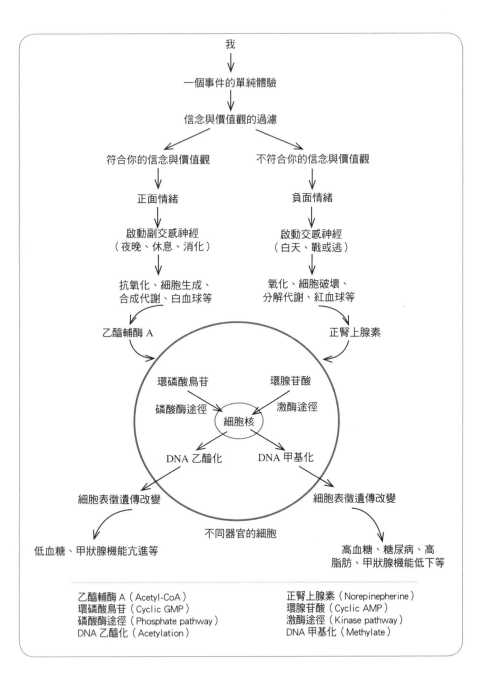

當你對外在的事件有著平衡的感受時，你會達到自律神經的平衡，你的交感神經與副交感神經會完美平衡，就像一輛車子同時需要油門與煞車才完整一樣，你會開啟通往全人健康的道路。

你的信念，會創造出你的實相。

Dr. Wang 怎麼說

你的睡眠問題，可能根本沒有問題

美國的歷史學家羅傑・愛克屈（Roger Ekirch）在他所發表的研究指出：「人類在工業革命之前，並不是採取一覺到天亮的睡眠方式，而是先睡大約四小時，醒過來三、四個小時，再繼續睡四小時左右，直到天亮才起床。」

自從巴黎在一六六七年成為全世界第一個晚上點燈的城市後，晚上不睡覺、熬夜，儼然開始變成一種社交行為（在晚上點燈之前，「夜晚」是充滿犯罪氣氛的，即使醒來也不敢出門）。緊接著工業革命以後，白天工作的效率變得非常重要，睡眠時間逐漸演變成一覺八小時到天亮的模式。而到一九二〇年代，分段睡眠模式已經從社會意識中完全消失。

德國心理學家湯瑪士・威爾（Thomas Wehr）曾把一群人放到每天有十四小時是黑暗的環境中，長達一個月，觀察他們的睡眠。在最後一週，湯瑪士在實驗者身上觀察到愛克屈所提到的「分段睡眠模式」。

但是這對我們而言有什麼意義？

即「晚上睡覺沒睡滿八小時就起床是完全正常的行為」！

在沒有意識到分段睡眠是人類最原始、最自然的睡眠方式之前，許多人會覺得，晚上睡覺醒來之後睡不著是有問題的，而且接著會把緊張的情緒帶到白天的工作裡。久而久之，許多人因此開始尋求睡眠門診的協助，以求「一覺好眠」。其實所謂的睡眠問題，只是人類原始睡眠中會醒過來的模式而已。西醫認為百分之三十的疾病直接或間接跟睡眠有關，但是如果這是建築在「晚上睡覺會醒來，然後睡不著」是不好的觀念的話，那麼或許很多的疾病，可能根本沒有問題。

愛克屈的研究指出：「以前的人晚上醒來以後，大多做些比較靈性方面的事情，像是回想自己的夢境、閱讀、禱告，或是從事一些靈修的活動。」

在了解原始睡眠模式的由來之後，希望大家可以正視自己睡眠方面的問題，不需要再把不是問題的問題當作問題。

1-5 信念與價值觀是如何形成的？

我們的信念可以驅使並帶領我們開創新的人生道路，但當我們都只是根據過去發生的事情來下決定，而不是活在當下時，我們的信念就很有可能變成人生的絆腳石了。

舉例來說，如果你現在上台演講會緊張而感受到胃不舒服、胃絞痛，那可能是因為，小時候某次演講比賽，你在眾人面前出糗了，這個出糗的經驗引發你的緊張感，導致你的胃不舒服。

那麼，我們可以將這個事件套用到信念系統的圖來分析：

情緒：緊張。
合理化解釋：小時候某次演講在眾人面前出糗。
證據：胃不舒服、胃絞痛。

情緒則像強力膠一樣，會賦予念頭能量，把它緊緊黏在鏡子——也就是我們的心裡面。往往是你愈在意的事情，情緒就愈強大；當然，它也會在你心上黏得愈緊，往往對你產生非常顯著的影響。

小時候不愉快的經驗，造成了日後每逢演講比賽，你都會讓過往不好的信念影響了你的身心。

而當受到情緒包覆的念頭深植在內心許久，你打從內心相信它是真實的，一個所謂的「信念」便從此形成。好的信念系統會幫助你達成目標，而不好的信念系統則會阻礙你成功。因此如果我們要了解為何我們無法正確的放下，就必須得先尋找信念形成的原因。

信念是由情緒、合理化解釋，以及證據，這三個鐵三角所組成的。

那要如何瓦解這個信念呢？其實只要讓三個條件其中一個不成立就可以了。這個信念的鐵三角之所以能成立，完全是靠三個環節環環相扣而成的，如果抽掉其中一個，這看似堅固的鐵三角也就能輕易瓦解。

而這三者當中，情緒的消除是最容易被處理的，也就是負面情緒的「放下」或「釋放」。

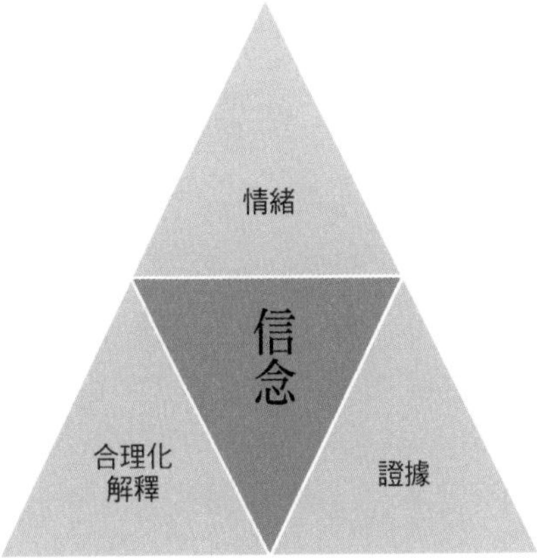

信念的鐵三角：信念是由情緒、合理化解釋以及證據這三個鐵三角所組成的。

Dr. Wang 怎麼說

從價值觀談愛情——一念天堂一念地獄

近年來，感情糾紛鬧上新聞版面的事情愈來愈多，之所以發生這樣的事件，簡單來說，就是因為雙方對愛情的價值觀有很大的出入。我們可以從三種愛情的互動來分析：

1. 你迷戀對方：在愛情關係中，你把對方的地位擺得很高，你可以容忍對方的一切，可以為對方付出一切，只要對方開心就好。這種簡直把對方當成神來膜拜的愛情觀，我把它叫做「迷戀」。

2. 你鄙視對方：你把對方的地位擺得很低，對方怎麼做你都不滿意；你對他（她）予取予求，完全把對方當成工具人來看，甚至會打罵對方。這種不把對方當一回事的愛情觀，我把它叫做「鄙視」。

3. 雙方互相尊重彼此的價值觀，優點與缺點都能夠相互包容。這是最理想，也是最平衡的愛情。

宇宙神聖的秩序最講究的就是平衡。當你迷戀對方時，一定會發生事件來讓你討厭對方，讓你一直很痛，直到有一天你醒過來，開始鄙視對方為止。我相信很多人都有這樣的經驗，曾經很愛很愛一個人，到最後當感情結束之後，對方在你心裡只剩下恨，或是沒有任何價值。

之所以會迷戀對方，是因為你把你自己對愛情的美好幻想加諸在對方身上（所以說該死的偶像劇！），而當對方無法回應你時（因為每個人都只能是自己，不會是偶像劇裡的任何角色），你的幻想破滅，你會產生很強大的負面情緒。在這個時候，你就把對方從原本的神壇上拉下來丟到垃圾桶了（許多社會新聞的情殺事件就是這麼來的）。

反過來也是一樣。之所以會鄙視對方，是因為對方迷戀你，而你強加了自己的價值觀到對方身上，希望對方都要照著你說的去做，如果對方沒有這麼做的話，你往往就會想要去找另一個可以聽你話的人來鄙視兼利用。

很多女生都喜歡說，當我玩累了，我就找一個比較喜歡我的人嫁了，這樣比較幸福。這是真的嗎？

從以上的三種愛情關係我們可以得知：不管是你喜歡對方比較多，或是對方喜歡你比較多，都是屬於很危險的狀態。這個狀態隨時會有往反方向靠攏與崩毀的危險，往往一念天堂、一念地獄，尤其是迷戀轉向鄙視的。

最好的感情狀態，是彼此互相尊重諒解，你不會過度迷戀，也沒有過度鄙視對方。你很清楚知道對方的優點和缺點，而且你同時欣賞對方的優點並且包容對方的缺點；你不會有過多的幻想或是把自己的價值觀硬是要對方聽從。這是需要智慧才能做到如此平衡的。

感情，絕對不是一個只單憑一方努力就可以完美的東西，但這卻是許多人所擁有的幻想情結。每個人都希望對方能愛上最真實的自己，唯有當你不幻想、不要求，並且接納彼此的價值觀時，彼此的心才會打開，愛與感恩才得以流動，你在感情中才能真實做自己，真實地與對方交流與被愛。也只有到了這個時候，彼此才有資格稱呼對方為所謂的靈魂伴侶。

1-6 壓力大會導致內分泌失衡

從原始的有機體到人類，以及其他物種，都有HPA軸（hypothalamus-pituatary-adrenal，簡稱HPA軸）。當壓力來臨時，身體透過下視丘、腦下垂體，以及腎上腺，三者相互對應，是一個協調腺體、激素和部分中腦相互作用的機制。

HPA軸幫助我們管理體溫、消化、情緒、性慾、能量消耗以及免疫系統。同時，它也是身體主要對應壓力、創傷以及傷害的系統。

面對壓力時，因為HPA軸是大腦的內分泌管理中心，透過內分泌的傳導，身體啟動了「戰或逃」反應。對身體而言，這是一個很好應對「急性壓力」的方式。但是HPA軸並不適合被慢性長期啟動，因為長期的啟動免疫系統會造成身體上的耗損。我們的腦下垂體掌管了身體所有的腺體，當身體遇到壓力時，交感神經會讓組成身體的五十兆細胞都連動起來，進入備戰狀態；當交感神經腎上腺髓質系統運作時，透過腎上腺素、兒茶酚胺、可體松以及正腎上腺素等分泌的作用，流往消化器官的血液會減少，而把血液集中在四肢的肌肉，讓身體可以進入活動或逃跑的狀態。這時，因血液集中在四肢肌肉導致消化系統裡沒有血液，我們就會產生消化不良、無法吸收、排便不順等身體狀況。這就是為什麼消化不良會成為大多數壓力大的人常有的問題。

再則，因壓力大所產生的失眠症狀與惡夢，則會把身體帶到了低代謝的保護模式。疲勞也是常見的症狀之一，但這不只是因為失眠，也是因為經常啟動 HPA 軸並且提升了可體松分泌的緣故。這種情況會導致人缺乏耐性、急躁不安、易怒、心跳爆快、容易受驚嚇等。

現代人的生活型態造就慢性壓力的逐漸累積，腎上腺素不斷經由 HPA 軸的指示運送到血液裡，這時我們就像嗑藥上癮一樣，一直需要迫使身體生產腎上腺素來應付壓力，但是腎上腺素其實就是急救時注射到人體所使用的強心劑。長期給心臟施打強心劑，最終會衍生出心悸與心律不整的問題。

長期慢性壓力的影響是全身性的，除了上述的心臟、消化，以及疲勞的問題之外，更會影響到過敏、皮膚病、缺乏性慾，以及小朋友的成長等免疫相關的問題，經常性的壓力更會導致免疫力的下降。更糟糕的是，當腎上腺已經極度疲乏，我們又需要它來應付我們日常生活的運作時，有的人就會開始在生活中重複一些緊張的過程，透過這個壓力來刺激腎上腺素的分泌；也有人靠咖啡來提神，讓自己勉強撐著。於是腎上腺被迫不斷地製造腎上腺素，久而久之就會造成腎上腺疲乏。

這樣的狀況就好比用現金卡預借現金，會愈欠愈多。如此一直惡性循環，直到我們身心耗盡，倒下去為止。

腎上腺反應出身體的壓力

賀爾蒙之間的作用息息相關。長期壓力會造成腎上腺失衡，並且會導致肥胖，這是因為可體松促進胰島素分泌。而胰島素與壓力之間也是彼此相關的。

壓力的影響層面之廣，超乎人的想像，其中包括睡眠的品質與長短、食物方面的選擇、血糖與胰島素的分泌、食物的消化與吸收等。身體對壓力的反應使可體松、胰島素、三酸甘油脂提高，胰島素阻力提升，生長激素、甲狀腺、性腺分泌降低、消化系統的免疫功能降低，氧化的壓力增加，發炎、過量的鈉累積等。因此，長期累積壓力，會讓人體的胰島素阻力變高，腎上腺素會疲乏。

腎上腺是身體跟壓力最直接的關聯點，它負責了身體「戰或逃」反應。在壓力大的情況下，心跳會加速，血壓會升高，血液從腸道轉到四肢，消化能力變差，免疫系統降低，血液凝固的能力增加。這些反應是短暫的。

對人類來說，腎上腺素的分泌狀態，是生存的關鍵。

當人類還在狩獵時期時，只要一看到野獸，就必須決定要留下來狩獵，還是要逃走。如果狩獵成功，之後就可以大喇喇地放輕鬆，喝點水、吃點水果或戰利品的肉。這時，腎上腺會慢慢回復到平常的狀態；當然，如果狩獵失敗，就會變成野獸的點心。

可是忙碌的現代人即使在很大的壓力過後，還是很難放鬆。因為每天都有不同的壓力源，像是長期工作壓力、睡眠不足等。這跟原始人偶爾遇到一隻劍齒虎才上升一次腎上腺素，情況是完全不同的。

長期的壓力之下，位於第一防禦戰線的腎上腺無法回復，導致體內腎上腺素長期分泌，免疫系統降低，就很容易產生感冒、過敏等狀況。還有，因為到腸道的血液變少了，接著引發消化不良、結腸炎、腸燥症等問題。至於腎上腺素則會讓血液凝固能力增加，所以現代人也比較容易有血管方面的問題。

Dr. Wang 怎麼說

可體松，可以載舟、也可以覆舟

當身體面對長期壓力時，除了HPA軸的啟動之外，還會分泌壓力賀爾蒙——腎上腺皮質醇，又稱可體松（cortisol），是糖皮質類固醇的一種。

當腎上腺素在人的體內降低時，可體松就會開始升高。其目的是為了「戰與逃」反應：把體內儲存的脂肪與蛋白質轉換成葡萄糖，血液運送到四肢，提升心跳、呼吸與血壓速度來供給氧氣給肌肉。而當你的壓力愈大，可體松分泌就會愈來愈多。

但是，讓身體長期分泌可體松可不是一件好事！可體松基本上會破壞身體的每一個部分，像是：破壞β（beta）細胞分泌胰島素的功能，導致糖尿病；可體松還會分解過多的脂肪組織，產生脂肪酸及膽固醇來做為應付壓力的能量來源，長時間的分解會導致高血壓與高血脂的問題，增加血管阻塞的機率。因此，可體松可以說是造成人體三高（高血糖、高血壓、高血脂）的重要因素。除了三高之外，過多的可體松會導致身體方面的骨質疏鬆、內臟型肥胖以及肌肉流失等等全面性的破壞。

在大腦方面，可體松會阻止腦細胞吸收葡萄糖，使神經元脆弱，大腦無法正常思考。此外，可體松還會導致杏仁核、海馬迴以及前額葉容量萎縮，會造成記憶衰退、學習力失常、憂鬱症，甚至對中年後的失智症與認知退化有很大的影響；而且因為可體松對大腦皮質的破壞，會使HPA軸的機制無法正常運作，遇到壓力會不知所措，或是莫名恐慌，無法做出正確的決策。以上這些因為可體松過多的症狀，西方醫學稱之為「庫興氏症候群」（Cushing's syndrome）。

壓力並不是不好的，但是我們必須要在「身體進到情緒產生身體問題、身體問題又產生更大情緒壓力」的負面循環之前，找到有效的方法來排除它。百病皆由情緒起，自然也必須由情緒來解。

1-7 心理創傷對免疫系統的傷害

我們究竟是從什麼時候開始，又是從哪裡學會用不開心的情緒去解決一切的問題呢？

德國知名癌症醫師瑞克．基爾得．黑默（Ryke Geerd Hamer）在他研究過上萬名病人後曾提出一份報告：「大多數得到癌症的人，在發病前的三到六個月，都曾經歷過一些重大的人生變故，無論是親人過世，與摯愛的子女、伴侶交惡，或者其他無可避免的天災人禍等重大創傷。」於是，黑默醫師推斷：「當人處於衝突、憤怒、哀傷等負面情緒中，卻得不到適當的抒發時，將會嚴重影響身體的免疫系統，進而演變成癌細胞。」

創傷會對情緒造成極大的影響，經歷過創傷的人，內心擁有著不同程度的驚嚇、否定與不信任感，與尾隨而來的羞恥感或罪惡感。有些人可能無法專心，恐懼跟焦慮會像鬼魅般纏擾著接下來的人生。嚴重到會認為自己跟人群或是自己本身脫離，因此產生憂鬱症、精神分裂，甚至厭世。

有著重大心理創傷歷史的人，身體慢慢地會出現無法解釋的疼痛，或是不知名的慢性病，甚至創傷受害者會有一個獨特的生病模式：身體的症狀很快地出現，但卻也很快地離開（像是皮膚癢、莫名的腫塊，而且容易感冒），但是怎麼看病也看不好。

生氣與憤怒這些極大的壓力情緒，都會嚴重傷害免疫系統。美國心術研究院指出：「當一個人專注在生氣的情緒時，身體的免疫球蛋白A（IgA）會連續降低，使免疫力停止運作；相對地，當一個人集中在關懷與愛時，免疫球蛋白A則會升高。」

到此我們可以總結，壓力對於身體是有極大傷害的。它讓我們身體進到保護狀態，使細胞無法再生與排毒；它啟動了「戰或逃」反應，使身體的腎上腺素與可體松增加，讓細胞進到破壞崩解的狀態。

創傷的漣漪影響

創傷可能是來自於遭受了霸凌、脅迫、搶劫、家暴、打架、性侵，或是面臨戰爭、恐怖份子攻擊、天災、意外等等。基本上，任何對生命威脅及危害的因素，都可歸類為「創傷」。其他像是一些不可預期，但是卻發生、無力去阻止避免，由他人造成的負面影響：例如親人突然過世、車禍、跌倒、運動傷害、開刀（尤其是在孩童時期）、劈腿、外遇、分手、離婚，或是發現自己罹患重大疾病（如絕症）也都是創傷。

前文提及過：「在六歲之前發生的事件，往往會導致破壞力較大的創傷。」因為孩童時期的大腦尚處於學習與被催眠的狀態中，對於他們而言，一個不穩定或是不安全的環境，會導致成長過程中的陰影。這也是為什麼當我們追溯許多患有精神疾病、行為失常、偏激、無法融入社會及身心不健全的個案時，他們絕大多數出自於破碎的家庭，或是擁有不愉快的成長經驗。這些，無非都是精神壓力的來源。

因此，無論你的創傷是什麼，不管你覺得它嚴不嚴重，請不要忽視它。畢竟，沒有把創傷處理好的人，幾乎都會出現嚴重的健康問題。

壓力、創傷與疾病的連結

要了解壓力如何產生疾病，我們得要先談談影響人類生存的兩大關鍵：成長與保護。當我們已經長大成人，但身體其實並沒有停止成長，成千上萬的細胞每天在我們的身體不斷老死汰換。而身體的保護機制，除了可以幫助我們對抗疾病外，還可以讓我們感應與讀取外在環境的種種變化，當有危機出現時，我們便有足夠的能力來反應，藉以保護自己的安全。

立普頓博士指出，成長和保護的機制無法同時運作。心智會優先保護我們的生命，任何對我們有害的因素都會馬上被處理掉，或是啟動「戰或逃」反應。所以，交感神經讓我們往往先選擇了保護自己，之後才啟動副交感神經，修復器官與細胞的成長機制。

這個機制對於生存是絕對必要的。但是假設當我們讀取到錯誤的訊息，誤以為當下的環境對我們是有害，是不是也有可能因為過去的創傷經驗中不斷錯誤啟動生存保護機制，導致我們無法真正修復？在了解這一點之後，我們就會知道，當壓力製造出疾病，或是由我們錯誤的認知而引發壓力時，長期的壓力讓身體錯誤分辨「戰或逃」反應；為了保護自身，自律神經長期讓腎上腺素疲勞，導致身體長期鎖定在保護機制內，身體無法進行修復，更別說是身心的成長與心靈的轉化了。

再則，當身體進到保護機制時，細胞會「關機」，養分無法進到細胞裡面，同時也無法進行排毒，人的代謝功能會變差，甚至肥胖、虛弱，身體就開始生病。

因此，除非我們改變對壓力的認知，建立正確的思考模式，並且釋放情緒所產生的毒素時，身體才能離開保護模式，進入開始修復（成長）的健康之路。

「凍結反應」是保護我們的生存機制

當人處於高壓之下，另一個有趣的身體反應是「凍結反應」。

大部分研究壓力的學術研究都只有單純討論「戰或逃」反應；「凍結反應」其實是在「戰或逃」反應的一部分，但是卻較少被了解與研究。

思卡爾醫師在一項研究中觀察野生動物，並且在牠們發生創傷時做了記錄。其實，若你看過旅遊頻道或國家地理頻道就知道，當斑馬被獅子追捕時，有些斑馬並不會馬上逃走；或是當獅子一靠近牠們時，就已經一整個被嚇傻，崩潰失足。而這就是「凍結反應」，也就是「戰或逃」反應失敗時的最後一個手段。當斑馬進入「凍結反應」時，大腦會開始大量產生安多酚，使他們在生命結束之前，不會有太大的痛苦。

有趣的是，大部分扮演天敵角色的動物，會因為獵物逃跑的動作而有狩獵本能的反應；可是當獵物停止動作時，天敵反而會對獵物失去興趣。而這狩獵天性的存在，或許是上天為身為獵物的角色網開一面的設定也說不定。

最後，如果動物經由「凍結反應」而救回一命，牠們為了排除與脫離「凍結反應」時都會先開始抖動，是由一個小冷顫到癲癇等級的抖動，接著伴隨著發抖與深呼吸，了解自己終於逃過這場苦難之後，就能回歸到正常的生活。

動物們似乎藉由這樣一個行為，來消除所有潛意識中被攻擊的記憶。例如：擁有許多天敵的瞪羚，每天都會經歷多次被追捕與進入「凍結反應」，接著起來搖搖身子後，卻像是若無其事般繼續過日子。

但是人類就不一樣了，現代人的生活中並沒有排除「凍結反應」的行為。每當我們受驚嚇或是發抖時，都會被勸告要冷靜下來。理性會壓抑情緒，因此我們把創傷的能量與記憶儲存了下來，形成了「分靈體」，或是內在小孩。（關於分靈體，請見 3-2）

我在國外接受心肺復甦術（CPR）訓練練習時，老師要求五位同學同時進場模擬五種不同的緊急狀況。當時令我印象最深刻的是，其中有一位同學，在演習結束後，他舉手：「報告老師，對不起，我剛剛一片空白，不知道該做什麼，所以我什麼都沒做，病人已經死亡。」雖然這在當時引來大部分同學哄堂大笑，但這可是現實生活中有可能發生在你我身上的「凍結反應」。

曾發生過「凍結反應」的人在事後往往會這麼說：「當時我整個呆住了！大腦一片空白！」或「我什麼都沒做，就讓事情在我面前發生了！」因為缺乏對於「凍結反應」的了解，人們往往會對於自己當下沒有採取任何行動而感到後悔與懊惱。但我們得清楚知道，「大腦一片空白」並不能算是人為的失誤，也不需要因此過於懊惱，因為「凍結反應」是上天設計來保護我們，並且幫助我們生存的一個機制。

值得一提的是，動物園裡的動物跟居家的寵物，也同樣沒有被觀察到有排除「凍結反應」的行為。所以我們經常會在動物園或是居家寵物身上，看到很多野生動物不會有的怪異行為，像是鸚鵡會因為憂鬱症而自拔羽毛、狗狗因為毛被剃得太醜而站立了好幾天等等特殊實例。

此外，一些保有原始文化的民族或是原住民，則保留了類似排除「凍結反應」的舞蹈以及儀式。在NLP裡面，也有適時讓個案輕微晃動身體的技巧，這也是排除「凍結反應」的方法。

1-8 心才是身體訊息的指揮官

西方傳統思想認為情緒來自於大腦，所有的情緒只是單純一個精神上的外化現象罷了。但科技日新月異，我們現在知道事實不是如此。在情緒生理學、壓力管理，以及心腦關係研究超過二十四年的全球權威單位美國「心術研究院」（Institute of HeartMath）指出：「心臟本身擁有獨立運作的神經系統。」

換句話說，就好比心臟裡面有另外一個腦，會接收並且傳送訊息，組成大腦與心臟之間雙向的溝通管道。心臟跟大腦之間的資料傳輸不但是雙向，而且心臟傳送到大腦的訊息，遠多過大腦傳送到心臟的訊息。

美國心術研究院也發現：「大腦的節奏會主動和心臟的節奏同步，血壓和呼吸的節奏也一樣會跟進。」因此，我們可以得知：「心臟的震動頻率才是身體所有訊息的指揮官。」而這些在心臟、大腦以及全身之間傳導的訊息，會影響我們的行為舉止跟感覺；混亂且不正常的心跳，則是告訴大腦，我們現在的狀況並不好，應該有意識地去表達或思考解決之道。

心跳也被情緒所影響，生氣、憤怒、憎恨、恐懼、擔心、害怕等等負面情緒都會造成心跳的混亂，而愛、慈悲、信心、感恩、安全感等等的正面情緒則會平穩心跳。混亂的心跳會讓我們的交感神經開始運作，讓身體暴露在「戰或逃」反應當中。了解到大腦與心臟的這層關係之後，我們就能知道處理自己的負面情緒是何等重要了。

對目前的主流醫學而言，心臟只不過是一具幫浦，一個水泵，出了問題，只要更換一個適合的就好。但有趣的是，很多做過心臟移植手術的案例都顯示，接受移植的人或多或少都會保有捐贈者的某些特質，像是突然想吸菸，或是偏好某些食物，和本身的興趣相去甚遠，連患者自己都覺得莫名其妙，這是因為心才是指揮官的緣故。

因此，心臟、心智（大腦）與身體，是連結在一起的完整個體，並非隨時可以更換零件與淘汰的機器。

基因並不能決定你的疾病

有的人認為「基因」主導一切，某些人天生基因好，某些人則比較差。達爾文在進化論中指出「適者生存」。我們每個人能夠存活，都是源自於自身基因的恩惠；且主流醫學的醫療系統以及大多數人的信念，也都是架構在「基因主導」的概念上。

難道，我們只能心存畏懼地臣服在「基因決定一切，出生就一切都註定」的威脅之下嗎？

其實不然。現今的科學都能做到基因改造了。

史丹佛大學醫學院的細胞生物學家暨教授布魯斯・立普頓博士（Dr. Bruce Lipton）指出，基因會隨著我們的思考與意念而改變；恐懼本身會直接影響基因，負面的情緒會影響我們的健康，甚至負面情緒還會跟隨我們的恐懼，自導自演出一場悲劇。

當我們把責任歸咎於基因或其他任何人事物時，就讓自己變成了一個機率受害者的角色。

雖然我們必須承認，很多先天疾病的確是由基因的缺損所造成，但這在總人口的所占比例卻極少。立普頓博士指出：「先天基因的缺陷僅占總人口的百分之二，因此大部分的人是基因健全的，不應生成日後那麼多的疾病。」

而目前西方國家的死亡主因，例如糖尿病、心臟病、癌症，都已經被證實不再是由基因本身所造成，而是先天的基因以及後天環境交互影響之下所產生的疾病。立普頓博士也指出：「科學家總是把很多基因跟各種疾病的特徵連結在一起，卻沒有發現，單一基因會導致一個特徵或疾病。」

數百萬年來，人類都在基因池裡交換著基因。想當然爾，每個人身上都有所有疾病的基因，關鍵差異只是在這些疾病的開關到底是怎樣被開啟的。基因並不能全然決定你是否會得某種病，美國約翰霍普金斯大學醫學院教授巴特・沃格斯坦（Bert Vogelstein）在二〇一四年的研究指出：「六十五%的癌症來自於細胞分裂的隨機病變而導致惡性腫瘤的增生，剩下三十五%的機率才需要考量生活習慣、飲食習慣、情緒壓力、環境毒素、外來病原體（細菌或病毒）、外傷、負面能量（輻射或電磁波）等等其他因素。」

換句話說，沃格斯坦認為，會得到癌症，基本上就是「運氣不好」。但是我認為，這個所謂的運氣不好，是必須要從情緒壓力的方向去考量的。

驚人的安慰劑效應

要探討情緒壓力與運氣不好導致疾病之前，我們先了解一下什麼是安慰劑效應。

安慰劑，通常是一顆對人體不具有任何醫療效果的糖球。每當一種新的西藥被研發出來，藥廠就得做人體實驗來證明這種藥物是否有療效。透過雙盲臨床的測試，讓實驗組服用新的西藥以及對照組服用安慰劑，之後來檢視西藥的療效。很多時候，安慰劑的效果跟藥物不相上下，甚至有過之而無不及。重點在於，病人雖然獲得無效的治療，但是只要心理上認為吃下去的東西對他會有正面幫助時（包含病人對於醫師的信任感），很多時候不管是西藥或是安慰劑，都有可能產生減緩症狀的效果。

藥劑學家大衛．漢彌頓（David Hamilton）博士因為親眼見識到安慰劑的驚人效果，決定離開原本在藥廠的工作崗位，全力投入安慰劑效應以及身心連結的研究。漢彌頓博士曾對一組依賴藥物注射療法舒緩帕金森氏症的患者，做過一項實驗。他把藥劑改成生理食鹽水，這些病患卻出現了跟藥物注射同等的肌肉放鬆情形。更令人訝異的是，原本大腦方面不正常運作的數據也隨之緩和下來。

漢彌頓博士也曾讓醫學院的學生服用藍色或紅色的膠囊，並告知他們，其中一個會有刺激效果，另一個則有著放鬆效果。但實際上兩種膠囊都只是對身體毫無效果的安慰劑。大部分學生在不知道個別處方的情況下，仍因服下藍色膠囊後展現的放鬆狀態，所以斷定藍色膠囊為放鬆劑。他們之所以這麼認為，完全是因為藍色和紅色相比，是較能讓人放鬆的顏色。

漢彌頓博士經由這個實驗證明了：「人的思想、感覺、信念，都會影響我們所服用的藥物，進而啟動人體療癒的機制。」尤其是安慰劑的效應，往往比想像中來得高許多。例如：處理緊張的安慰劑，效果可達八星期；心絞痛的安慰劑，能影響近六個月；至於治療風濕性關節炎的安慰劑，則會持續兩年半。更有趣的是，如果替原本服西藥的病人換上安慰劑而不告知，病人還是會持續出現服用西藥時所產生的副作用。

由此可知，吃藥真的不是吃下去就好，如果能考量你抱持著什麼觀點去吃的話，效果肯定大不同。

但是，如果我們光是吃安慰劑就有療效的話，為什麼不能進一步直接以意念來恢復健康呢？

負面思考的力量（反安慰劑效應）

「反安慰劑效應」（Nocebo Effect）顧名思義是與安慰劑相反，也就是負面思考對身體的影響，病人不相信治療有效，反而可能使病情惡化。我們可以列舉出成千上萬心智影響健康的例子，像是當醫師做出錯誤的診斷，病人卻死於被誤診的疾病時，家屬往往要到最後才發現，原來病人一開始並沒有得到這樣的疾病。＊

曾經有過這樣一個研究，醫師給予一名對盤尼西林過敏的病人一顆安慰劑，並在他服用後，告知他吃下肚的是盤尼西林，病人隨即出現嚴重的過敏反應，最後不治。這個結果令人遺憾，卻也讓我們見識到負面思考的力量。

同樣的原理在歷史上也曾經出現過。二次世界大戰時，納粹告訴一個即將被處死的囚犯，他會被刀子劃破血管、直到血流光為止的方式處刑。

不久後，囚犯死了。直到死前，他仍然沒料到，這次的「處刑」只是納粹的實驗。

事實的真相是：納粹只是矇上囚犯的眼睛，然後使用類似刀子的尖銳物體劃過他的皮膚，再配上滴水聲。囚犯在極度恐懼之下，腎上腺素急速分泌，最後因為心功能衰竭死亡。納粹的

＊根據二〇一二年《西雅圖時報》報導：美國梅約診所指出，已開發中國家的醫療誤診率是二十六％，臨床癌症學期刊則指出，高達四十四％的癌症是誤診。

實驗相當殘忍，但這也讓我們看到，囚犯光是相信了自己被殺的這件事，就靠本能真的嚇死了自己。光是想死都會致死，更何況只是「製造」出疾病呢？

信念／價值觀決定一切

情緒造成生病的原因有很多，一般可歸納為以下三大重點：

1. 創傷：當身心遭逢重大事件，導致大腦頻率改變。
2. 毒素：身體累積的毒素，會影響體內的化學變化與訊息傳遞。
3. 信念／價值觀：當意識與心智處於失衡的時刻，就會傳達錯誤的訊號。

這三個因素當中，我個人最重視的是信念，也就是信念與價值觀。

為什麼意識與心智會在失衡的時刻傳達錯誤的訊號？」答案在於我們對事物的認知。

每一個細胞上面都有成千上萬的接受器，它們的工作就是在讀取周遭的環境與接收訊息。接收器就像開關一樣，會對周遭無數的刺激做出反應，然後開始依照得到的指令，做出修改細胞表徵遺傳改變的運作。這對於身體來說，是生存下去所必須的機制。當我們面對壓力時，我們對於周遭環境容易做出錯誤的讀取，就會觸動失衡的反應。

所以，我們對於一個本質是中立的事件可以判定是好的，也可以判定為壞的。經由這些認知造就了我們的信念系統，最終控制我們的生理。

換言之，每一個想法都會在我們體內產生排山倒海的生理反應；每一個生命中的經驗都會造成細胞中基因的改變，觸發新的神經鏈連結。我們的信念與價值觀，影響著身體的每一個層面。

如果真是如此，是否只要改變思考，就可以改變健康了呢？當然是可以的，不過不是那麼簡單就是了。

很多人看了《祕密》或有人因為此書而中樂透的新聞後，就開始去買彩券。但是在買的當下，一方面希望自己中獎，另一方面卻覺得自己不可能中獎，或開始擔心中獎後要怎麼管理錢才不會被騙等等之類的。

這些沒來由的負面思考（衝突意圖），其實都是在扯你後腿。潛意識在仔細評估中獎的正面效益與負面效益後，總結下來發現「其實不中獎對你比較安全」，最後的結論是：你會中獎才怪。

人類之所以與其他動物不同，是因為我們有獨特的心智系統，我們有思考與選擇的能力，但是我們有百分之九十五到百分之九十九的行為，都決定在潛意識。因為潛意識可以每秒運算兩千萬筆資訊，而表意識只能每秒運算四十筆資訊；表意識只能同時處理幾件事情，而潛意識則可以同時處理成千上萬件事情。

如果你還沒被說服的話，想想每天我們所做的事情：從起床、刷牙、洗臉、吃飯、開車去工作等等，我們可以在不經思考的情況下，自動導航般完成許多的工作，這些都是拜潛意識所賜。潛意識同時觀察了身體外面周遭的資訊，也注意到身體裡面的種種覺知。在接受到環境中的信號或暗示後，潛意識便可以自動啟動之前已經學會的技巧與行為，完全不需要表意識的幫助、監督，甚至是覺察。

除了基本的日常運作外，我們對於世界的看法、人生觀、能力、健康等各方面，都是在潛意識的層面運作著。而這些信念，來自於我們人生的經驗以及我們過去所學所遇，有的會對我們有幫助，有的則會傷害我們。但是，不管是好的還是壞的，這些信念系統都對我們的身體有很大的影響。

潛意識就像是歌手錄音一樣，不管錄音現場有什麼聲音，都會被完整收錄；又像是一個農田，只要你播種下去，它就會依照你所播的種，在天時地利人和的情況下，讓你得到相同的果實。

了解這個概念，你將會發現，其實每個人都是自己潛意識心田的農夫，端看你是否了解自己心裡這片土地的特性，以及想要如何耕種出你理想中的甜美果實。

1-9 中醫與情緒

在談過西方主流醫學之後，我們也來看看傳統中醫如何看待情緒與疾病之間的關係。

中醫最早的理論著作《黃帝內經》之〈素問．舉痛論〉中提到：「百病生於氣也。怒則氣上，喜則氣緩，悲則氣消，恐則氣下，寒則氣收，炅則氣泄，驚則氣亂，勞則氣耗，思則氣結。」這正是身心統一的整合理論。

另外，像《靈樞經》的〈師傳〉中也提到：「人之情，莫不惡死而樂生。告之以其敗，語之以其善，導之以其所便，開之以其所苦，雖有無道之人，惡有不聽者乎？」由此可得知，中醫是很注重情緒與健康的關聯性。

中醫稱心理治療為「治神」，而談到情緒指的就是「七情」與「五志」。「七情」就是怒、喜、思、悲、憂、恐、驚。其中的怒喜思悲恐則為五志，分別跟五臟有密切關係。《黃帝內經》有「怒傷肝，悲勝怒」、「喜傷心，恐勝喜」、「思傷脾、怒勝思」、「憂傷肺，喜勝憂」、「恐傷腎，思勝恐」等理論。

「心主喜，過喜則傷心」：這裡指的是高興過頭的刺激，會導致心臟病發作的案例，也就是所謂的「樂極生悲」。

「肝主怒」：人在生氣時，左右兩側的脅肋會略感不適，這就是怒以傷肝的表現。

「脾主思」：過於思慮會傷脾。就像許多現代人壓力大，會經常性疲勞，即使是運動與睡眠都無法改善。從中醫的觀點來看，就是因為思慮過度，煩惱太多而產生了脾虛的現象。

「腎主驚」：當人受到過度驚嚇，會影響腎的生理功能。

另外，中醫也認為心理的情緒會在身體肌肉上產生「阿是穴反應」，而造成身體的局部疼痛、發麻、緊繃等症狀。困擾現代人的精神文明病，其實中醫亦有所解讀：

1. 憂鬱症：為中醫「癲症」的憂與悲。
2. 燥鬱症：為中醫「狂症」的怒與喜。
3. 焦慮症：為中醫「癲症」的思。
4. 畏懼症：「癲症」的恐。
5. 恐慌症：「癲症」的驚。

我認為，臨床案例在面對每一個器官，都必須要同時考量其生理功能、中醫功能，以及情緒處理功能。舉肝臟為例：

肝臟的生理功能為：代謝、排毒、儲存醣源、分泌性蛋白質合成等等。

肝臟的中醫功能為：貯藏血液和調節血量、疏泄，負責筋和眼睛。

肝臟相關的情緒處理功能為：憤怒、習慣性抱怨、自我欺騙、渴望控制、拒絕表達自我感受等等。

當一個人經常處於憤怒的情況下，肝臟主要運作的額度都被拿來處理情緒了，原先運作的生理機能自然會受到影響；相對地，一個人長期熬夜、酗酒，導致肝臟不好，生理功能運作的額度被占據了，那麼這個人肯定脾氣不好。所以一個好的醫師，必須全盤顧慮到病人器官的生理功能以及情緒處理功能。

在自然醫學的教育體系中，中醫也是必修項目之一。除了中醫以外，印度的阿育吠陀醫學、古埃及醫學，以及來自德國的同類療法，都會把情緒列為人之所以生病的主要考量因素。在眾多實例驗證之下，無論是傳統中醫或是自然醫學的角度，我們都抱持著：必須把身體健康與情緒的平衡一起納入完整考量，才能夠找到最正確的全人治療方針。

1-10 壓力的七個來源

我們都知道壓力會使人生病，而這些生命中的壓力，大致可以分為七個面向，分別是身體、情緒、靈性、家庭、人際關係、工作和金錢。每一個項目之所以存在，主因都是來自於欲望：任何你希望得到，可是目前能力做不到的，都可以說是欲望的壓力。也就是說，當你的理想與現實出現差距，讓你產生負面情緒，就是你壓力的來源。

1 來自身體的壓力

舉凡跟身體有關的，像是健康、長相、外表、身材，覺得自己太高、太矮、太胖、太瘦、乳房太大或太小、臀部太大或太小、大腿太粗，年齡增長的老化現象、死亡等，都是來自身體的壓力。

2 來自情緒的壓力

外在的事件透過主觀意識的評斷而產生內在的種種情緒，如果理想與現實出現了差距，就會是負面情緒，像憤怒、不爽、自責、感到被背叛、被批評、被挑戰、憂鬱與絕望等。

3 來自靈性的壓力

靈性包含的範圍很廣泛，可以是來自宗教方面，像是宗教的規範是你達不到或不想遵守的，也有可能是來自跟你信仰不同所產生的矛盾，比如佛教徒就很難理解基督教徒不能拿香拜拜。不過，我會偏向把靈性方面的壓力歸類於不符合自己價值觀的任何人事物，也就是牴觸到你的核心價值的事、一些自己道德觀的堅持（像是搭捷運不能吃東西，或是婚前不能性行為之類的問題），或是跟自己人生目標規劃、使命感有關的事情。

心跟靈沒有實體，有問題時只能藉由身體的不舒服來傳達訊息，絕大部分的疾病都是因為外在的現實與你所認知的價值觀不符合，導致身心之間反差過大所造成的。一九七〇年代，被醫學歸類為身心症的疾病只有六種，到了現在身心症已經有上百種了。

4 來自於家庭的壓力

「家庭」的壓力，往往與你的角色扮演有關。例如身兼女兒、媳婦、老婆、媽媽等多重角色的已婚女性，就可能有來自於娘家、婆家、夫妻相處及教養孩子的壓力。孩子則因父母的管教而產生壓力。如果你無法扮演好自己的角色，就會有很嚴重的後果。

5 來自於人際的壓力

基本上，只要有人的地方，就一定會有人際方面的壓力。人際的壓力與個人的角色有關，無論是在家庭或社會上，不同的身分各自有不同的人際壓力。像有些上市公司的老闆，除了肩負使公司更提升、業績更好的欲望壓力，也會有龐大社會責任的人際壓力。

6 來自於工作或學校的壓力

職場上的壓力，我想人人皆知，就不再多提。至於孩子在學校，同樣也有壓力。壓力可能來自於人際相處、老師管教、課業壓力，甚至「每天回家只有幾分鐘玩電動玩具」、「誰的手機比較屌」或者「幾點幾分一定要寫完作業去睡覺」，這種必須要在有限的時間內做決定跟執行的管教規範，都是一種壓力。新聞報導中也不時有學生被同學霸凌、最後輕生的憾事發生，可見來自學校及同儕間的壓力也是我們必須注意的。

7 來自金錢的壓力

金錢是我們活在這世上不可缺乏的工具之一，大家都聽過「錢不是萬能，但沒有錢萬萬不能」這句話。一般人對於談論金錢都有一套特別的隱私規範，並認為「詢問他人收入有多少是一件非常不禮貌的行為」，這代表著，來自金錢的壓力是被壓抑到人心很深層的內在。

壓力是個人主觀所造成的

排解身心壓力其中一個方法，就是跳脫個人觀點來看事情。很多時候，我們所承受的壓力並不盡然是外力產生，而是我們個人思維所造成。其實所謂的壓力，只是我們大腦透過信念價值觀的濾鏡，主觀意識評斷下的產物而已。

老祖宗有這麼一句話：「山不轉路轉，路不轉人轉，人不轉心轉。」只是，真正知道「心轉」奧妙的又有多少人呢？

或許你可能不認同壓力是認知上的問題，那麼舉個一般人常遇到的例子：活動遲到。

每次開會，總是有些人會提早半小時到場，這些人無論如何都認為，如果沒有提早半小時，就等同遲到，甚至不早到就會讓他們不知所措。當然，也有只會準時進場和永遠都遲到的人。接下來，我們將遲到的人分成下列三種來討論：

第一種，遲到了選擇先道歉。然後找很多理由來解釋為什麼會遲到，希望大家知道他們感到多麼抱歉。他們的壓力是透過羞恥的方式表達出來。

第二種，遲到了會偷偷溜進來，躡手躡腳地坐到最後方，希望沒人發現他們。這些人往往在過去對於遲到有情緒上的創傷（可能曾經因為遲到被長官在眾人面前痛斥一頓），所以他們選擇把壓力內化。

第三種，只要他高興，不管什麼時候到場都可以。這樣的人並不會真心道歉，如果他們道歉，也只是禮貌上歉意而已，並不是發自內心，甚至可能覺得：「遲到就遲到啊！不然要怎樣？」或許還會故意遲到呢。

一般來說，當我們遲到了，會因為害怕別人的批判，透過道歉或壓抑來轉化壓力。所以從遲到的例子我們可以明白，對於「遲到」，並不是每個人都抱持同樣的態度。「壓力」也只是認知上的不同而已。所以，由此可以得知，任何壓力都是主觀的。

很多人在處於重度壓力的當下，並不清楚原來這就是壓力，甚至不知道自己該做什麼、能做什麼，來避免壓力摧殘自己身心。

我認為，身心靈要能健康的重點，首先在於「覺察」——你必須學習去分辨、認識困擾你的事情，到底問題究竟是真實存在，亦或是庸人自擾？

當我們能夠正確認知問題，並且誠實面對、欣然接納事態演變，接著把大腦中因為負面情緒所造成的神經連結加以阻斷，並且「放下」，讓壓力的信念系統與潛意識裡的思考模式重新設定，自然能將創傷中累積的經驗毒素消除，讓身體回到原本最自然最健康的狀態。

一聽到壓力，大部分的人馬上就會想到要「抗壓」，然而面對壓力，並非以壓抑或對抗的方式面對，而是如何紓解才最重要。相信大家都聽過「大禹治水」的故事，壓抑負面情緒的結果，往往就像使用堵塞法治水的鯀一樣，阻斷了生命力在體內的流動，累積到某個臨界點之後，勢必潰堤。

每個人在不同的年齡層，一定都有屬於自己的壓力。生命會尋找出口，情緒也一樣。今天被情緒壓抑了，改天情緒一定會用另外的方式來發洩或表達。很多人平常不生病，只有在放假時才生病，這其實正反映你的工作壓力太大，大到只有在休息的時候，身體才能放鬆，累積的毒素才有機會被釋放，用生病作為釋放壓力的代價。

遺憾的是，目前主流醫學對於疾病，不管起因是否在身心層面，處理的方式仍是以堵塞法（對抗療法——西藥與開刀）為主，頭痛醫頭、腳痛醫腳，治標不治本，就好比治水失敗的鯀一樣，成效不彰。而自然醫學所提倡的，就是「疏濬導引法」。不管是身體或心理的問題，都需要縝密的追根究柢，接著將產生問題的根源用正確的方式排除和平衡。

雖然我們不一定能控制外在事物的狀況，但是壓力是可以被處理的。不管你面對的是情緒壓力、身體的壓力，或是體內化學變化的壓力（像是血糖改變），它們對身體都會造成一定程度的負面影響。接著在本書的第二章、第三章，我將會教導你更多排除負面情緒，進而得到身心平衡的方法。

1-11 情緒排毒治百病

到目前為止，我們已經可以了解到，負面情緒與壓力對你我的身心健康造成不當的影響，美國奧勒岡州大學的臨床心理學博士納拉延．星（Narayan-Singh）則把負面情緒歸納為七種，並列舉出它們與身體的對應關係：

1 挑剔、愛找毛病

喜歡挑剔的人，內心希望掌控身邊的人事物，尤其嘴巴喜歡碎碎唸；這有可能是因為他們小時候被過度管束，或保護過度所引起。這類人士的身體，最容易出現的問題往往與關節有關，如關節炎。

2 生氣、憤怒

人之所以會生氣，是因為遇到了生命中無法超越的障礙，藉由發怒的方式，把生氣的情緒表達或轉移。長期愛生氣的人，可能會導致身體發熱，因此任何跟「熱」有關的疾病，如發燒、發炎，以及感染之類的問題，都跟生氣有關。

3 後悔、懊惱

容易後悔懊惱的人，經常覺得自己是犧牲者。在他們的生命中，總是充滿著無力與無助感。臨床經驗發現，不少癌症患者都容易耽溺在後悔、懊惱的情緒中。

4 對自己憤怒、罪惡感

容易產生罪惡感，並會指責自己、對自己發怒，其實是一種自我攻擊與懲罰的行為，容易導致皰疹或自體免疫系統失調的問題。

5 羞恥感

這是一種普遍性的罪惡感，經常處於羞恥感的人，較易出現自我維持平衡方面的問題，對應到身體上，就容易產生血液方面的問題，連肝臟、免疫系統也會受影響。

6 悲傷

當一個人覺得失去、匱乏跟損失時，會引起悲傷的情緒。經常陷入悲傷情緒的人，身體會出現呼吸系統與水分調節系統方面的問題，像是腎臟與膀胱；如果持續壓抑，則會衍生至肺部、耳朵以及鼻竇相關的問題；長期累積就易演變成心臟方面的問題。

7 恐懼

恐懼會引起腎上腺全面抗壓系統的啟動，當腎上腺素分泌時，血液會跑到四肢準備「戰或逃」反應，因此，長期處於恐懼或壓力大的人，較易出現腸胃問題，然後再影響到腎臟與膀胱。

綜觀以上負面情緒與疾病的對應關係，我們可以得知，病真的不是純粹由外而來，而是由內而生。現代人之間愈來愈疏離，很多想法說不出口或情緒藏在心裡，久而久之就成了病因。

此外，在我的臨床經驗裡常常碰到因病來諮詢的個案，很多例子最後因為願意敞開心胸，與我聊及積壓許久的心事之後，療癒的速度比預期中更快、更好。可見，如果一個醫生願意放下身段，多與病人聊聊天，而不只是公式般的問診，相信不只醫病關係會更好，也會為病人帶來意想不到的進展。

ch2 情緒排毒法

2-0 排毒，從心排起

每天翻開報紙、打開電視，社會上種種暴力及偏差行為，或多或少跟失控的情緒有關，因此可知，壓力真的是現代人的一大問題。

壓力與健康息息相關，西方醫學諸多文獻都詳細記載並認同著情緒與健康關聯的可能性，像是工作、結婚、離婚、搬家、親人過世等壓力，都可能引發疾病與身體不適。

第一章我們已經了解到，壓力會改變體內血糖與賀爾蒙等運作，會消耗身體的養分，進而危害免疫系統。換句話說，壓力也是一種影響身心的「毒素」。

近年來，排毒話題十分熱門，但我認為「排毒，也要有順序」，就好比下水道阻塞了，如果原因來自於下層淤泥，那光是清理上層的污泥是沒有用的。所以，一個好的自然醫學醫師，必須知道病人當下問題的癥結所在，而不是一股腦要病人進行一些無謂的排毒療程，或建議病人吃一堆健康食品。

排毒，是身體驅除毒素、邁向健康的方法，除了坊間五花八門的排毒法，像是糙米排毒法、果汁排毒法、生食排毒法、大腸水療法等，在我的臨床經驗發現，情緒及心理因素，往往是阻礙身體毒素排除的最大關鍵。

我曾看過吃生機飲食二十多年，卻仍然得癌症往生的案例；也看過很努力運動，保持健康的作息，卻仍得到癌症的案例。為什麼這麼注重健康與養生的人，卻仍然得到西醫眼中的不治之症呢？

以我的臨床經驗為例，發現就身心靈的完整健康而言，心與靈的部分占了八十％至九十％，身體的部分只占了十％至二十％。假設以六十分為及格標準，當一個人心靈出現問題時，分數會直接從一百分扣到只剩下二十分，這時作用在身體上的療法或健康食品，頂多再加二十分，變成四十分，仍然不及格。

反之，如果單純是身體出了問題，吃些健康食品、排個毒，很快就恢復健康了。因此我要告訴大家：「排毒，必須要從心（情緒）先排起，才會事半功倍。」

人心有多複雜，病就有多難醫治，要保持真正的健康，真的不只是每天好好吃、趁早睡、多運動，就能全盤解決的。

壓力，是一種心病

我們都聽過：「解鈴還需繫鈴人，心病還需心藥醫。」這句話所講的心病，指的是那些令人耿耿於懷的事件，也就是負面情緒與壓力、創傷。心裡受傷了，就要找到受傷的原因，效果才會好。

長期緬懷過去——尤其是一些挫折與失敗的經歷，會對身體產生壓力。也許你認為自己不過是想想而已，早就過去的事情，又怎麼會有壓力呢？但是，潛意識並不能分辨壓力的來源，也不知道壓力究竟是真實存在，或是大腦想像出來的。思想與信念加上情緒是有力量的，所以一直沉溺在過去的不開心，只是浪費身體的能源與加速健康的崩壞，對我們一點好處都沒有。

過度擔憂也會增加腎上腺的負擔，重點是，造成身體負擔的往往不是事情的大小，而是你擔心的程度。擔心很多小問題與擔心一個大問題，對腎上腺所造成的負擔其實是一樣的，而且壓力是會累積的，所以當你覺得難以負荷的時候，不妨給自己放個假，做做瑜伽、冥想打坐，讓自己好好放鬆一下，這樣才是真正對身體有幫助的方法。

雖然我們不一定能控制外在事物的狀況，但是壓力是可以被處理的。不管是情緒的壓力、疾病的壓力，或是體內化學變化的壓力，對身體的影響都是一樣的。所以，如果你希望得到一個真正健康的身體，就請從學習降低身心的壓力、讓自己開心開始吧！

2-1 壓力檢測法

很多人認為自己有壓力，卻不懂得判斷壓力的強度與狀態。因此，這裡要分享一些自我壓力檢測的方法，讓我們藉由身體，來得知壓力的所在。

腎上腺疲乏三部曲

加拿大的內分泌專科醫師漢斯・西禮（Hans Selye）曾做過這樣的實驗：把老鼠放在水中游泳，直到老鼠疲勞而死，進而檢視腎上腺的實驗。根據研究結果，他將壓力分成三個等級：警戒期（alarm）、抵抗期（resistance）、耗盡期（exhaustion）。

1. 警戒期：適當的壓力下，身體可以表現得很好。

2. 抵抗期：持續的壓力使身體產生抵抗，腎上腺素會腫大，可能會出現手汗、心跳加速、食欲降低、無法專心、記憶力衰退、早上很難起床、夜貓子（非自主性熬夜導致作息失常）、生病需要更多時間來復原，以及愛吃甜食、咖啡、很鹹的食物等現象。

3. 耗盡期：腎上腺已經無法承受壓力的負擔，身體會疲勞，而且再怎麼睡都無法改善、無法抗壓、行為容易失控、消化問題、肥胖問題、憂鬱、頭暈、昏倒、過敏、缺乏性慾、經前症候群加重等問題。

在抵抗期和耗盡期的症狀，只要有三個條件符合，就是腎上腺素疲乏的現象。

壓力大的時候，身體往往會讓你想吃「錯誤」的東西，尤其是澱粉類食物。例如前文提到，當腎上腺素疲乏時，人會想要吃甜食、咖啡或很鹹的食物，這是因為糖和咖啡因會刺激腎上腺素的分泌，產生「提神」的效果，但是這樣貪嘴的結果，卻會讓身體消耗更多能量去分解這些食物。

很多人會抱怨沒有時間準備食物或好好的吃飯，其實這只是一個讓你吃錯東西的藉口，許多健康的飲食並不需要花太多時間準備，像是簡單的水果、蔬菜、堅果類等。所以，下次要亂吃東西之前，最好先問問自己，是情緒讓你想吃，還是你的身體真正需要這樣的食物？

吃太多澱粉，以及隔餐不吃，對腎上腺的傷害是最大的，因為這兩者都是調節血糖的重要因素。澱粉吃太多會導致血糖迅速提升，然後下降；隔餐不吃也會導致血糖降低，腎上腺就必須想辦法提升血糖。因此，低腎上腺素跟低血糖，兩者往往會同時發生。

你的腎上腺素夠嗎？

大部分主流醫學的醫師都容易忽略腎上腺素疲乏的現象，通常他們只會從檢驗報告中注意到「愛迪生氏症」（又稱為「慢性原發性腎上腺功能不足」，是一種腎上腺內部功能障礙，為腎上腺皮質功能不足所引起的），但這跟腎上腺素疲乏是不一樣的。不過仍有少數敏銳的醫師會察覺到腎上腺素疲乏，並且進行唾液賀爾蒙檢測。

但是，要怎樣知道自己壓力大呢？

市面上有各式各樣可以檢測壓力的儀器，有的從交感神經與副交感神經的互動、腎上腺素皮質腦波、心跳呼吸體溫等方面來看，接下來，我將告訴大家如何在家進行壓力自我檢測。

以下這幾種方式都很簡單，建議大家可以每一種檢測都做。其中，第一到第三種檢測，都是要等腎上腺疲乏程度到達中度或重度，才會有比較明顯的反應。符合的症狀愈多，腎上腺素疲乏的狀況就愈嚴重。第四種檢測方式，則是從身體的現象來觀察。

壓力檢測法 1

瞳孔收縮檢測法

美國醫師C．亞洛由（Dr. C. Arroyo）在一九二四年發現，從瞳孔的收縮可以觀察到腎上腺素是否疲乏。

需要的工具：椅子、鏡子、小手電筒。

檢測方式：

（A）在一個昏暗的房間內，坐在椅子上，面對鏡子。

（B）用手電筒從左眼的側面（不是正面）照射，用右眼觀察鏡中自己的左眼。

（C）讓眼睛休息兩分鐘左右，然後換從側面照射右眼，用左眼觀察鏡中自己的右眼。如果覺得一個人比較難實行的話，可以找家人或朋友幫助你從側面用手電筒照射眼睛，再一起觀察鏡中瞳孔的變化。

確認方式：

人的瞳孔就和單眼相機的光圈一樣，有調節通光量的功能，有利於人的眼睛看清楚視野內的物體；所以在突然遇強光時，瞳孔會因肌肉自然收縮而縮小。透過這項身體的自然反應可以得知，「瞳孔在有光線的情況下會收縮」。所以，當腎上腺運作正常的人，瞳孔在光線的照射下會馬上收縮。當你腎上腺疲乏（交感神經過度旺盛）時，瞳孔就會無法對光線的照射做出反應，而保持原本擴張的狀態。

補充說明：

這個測試大約一個月做一次即可，當你的瞳孔呈現擴張（腎上腺疲乏）的同時，也是腎上腺素在回復的時候。當腎上腺素回復以後，瞳孔在光線照射下更容易收縮，而且收縮的時間也會變長。另外，這個測試僅能看到中度與重度的腎上腺疲乏，輕微的則看不出來。

壓力檢測法 2

血壓檢測法

這是美國內分泌學家亨利．哈洛爾（Henry Harrower）在一九二九年提出的檢測法。

需要的工具：電子血壓計

檢測方式：

（A）首先，安靜地躺下來，待約十分鐘後，量第一次血壓。

（B）量完以後馬上站起來，緊接著量第二次血壓。

注意：有些人進行躺著然後馬上站起來的這個動作，可能會有頭暈的現象，所以做這個測試的時候最好身邊有人或有扶手，以確保安全。

確認方式：

正常的狀況下，我們站起來後所量的血壓，會比躺著時升高大約二十毫米汞柱。如果你躺著之後站起來量的血壓，比你躺著量的血壓來得低，就是腎上腺素低落的指標，或是身體缺乏水分。

這個降低的血壓我們稱之為「姿勢性低血壓」（postural hypotension）。此時，必須確認是缺水還是腎上腺疲乏，建議另外找一天喝了足夠的水分再測量一次。

如果水分充足，而站著的血壓比躺著所測量出的數據還是少十毫米汞柱以上，那就是腎上腺素疲乏；血壓降低愈多，表示腎上腺素愈疲乏。

平常血壓的高低跟腎上腺素無關，高血壓的人也有腎上腺素疲乏的可能；吃素的人平常血壓可能偏低，因此也不能表示就是腎上腺素疲乏。

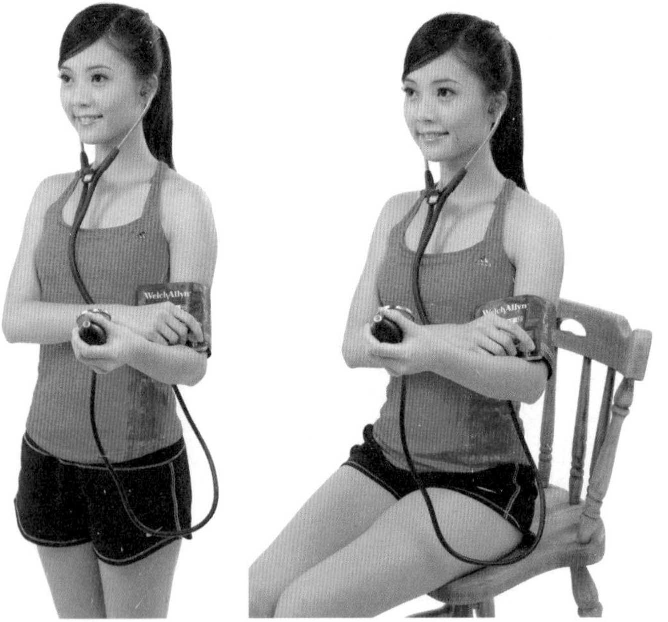

壓力檢測法 3

沙簡特白線法

這個檢測法是由法國醫師伊莫．沙簡特（Emile Sergent）在一九一七年提出。大約四十％腎上腺疲乏的人會對這個方法有反應。

需要的工具：一枝筆。

檢測方式：

使用筆尾不尖銳的部分，在自己肚皮畫出約十五公分的痕跡。

確認方式：

就正常人來說，這個痕跡會在幾秒內先變白，然後變成紅色，但如果是腎上腺疲乏的人，這個痕跡會一直持續白色約兩分鐘，而且痕跡會變寬。

雖然只有百分之四十腎上腺疲乏的人會有反應，但是只要在這個測試裡呈現陽性反應，就一定有腎上腺疲乏的問題。若是想做比較複雜的檢測，就必須請專業醫生進行唾液賀爾蒙檢測、二十四小時尿液可體松檢測、驗血、ACTH 挑戰檢測等。

壓力檢測法 4

手指溫度測壓法

不知道大家記不記得，有一陣子很流行所謂的「情緒指數戒指」或「心情卡」？只要把手指按壓在卡片上某一個點，一、兩分鐘後就會出現不同的顏色，然後再對照圖表，就能看出當下的情緒如何。這就是體溫測壓法的原理。

美國壓力管理專家提姆．路文斯丹博士（Dr. Timothy J. Lowenstein, PhD）指出：「手腳末梢的溫度變化是血液循環的反映，也就是壓力的一個指標。」

當我們敘述或想起某些令人很不愉快的往事時，手腳末梢的體溫可能會下滑二至十五度；當你想起一些有點不高興的小事時，手腳末梢體溫可能只會下滑一度；而當你想到某個輕鬆愉快的假期時，手腳末梢溫度可能會升高十度。基本上，手腳末梢溫度的變化範圍可以從十五．五度到三十七．二度。

這當中最有趣的是溫度變化的速度，有人可能會驚訝於手腳末梢為何能在如此短暫的時間就變冷？但其實原理很簡單，溫暖的手腳代表放鬆與舒適，冰冷的手腳則反映出壓力。不過並不是每個人都可以從手指的溫度顯示壓力的變化，有部分的人則是會利用頭痛、肩膀痠痛、胃絞痛等等現象來反映壓力。所以說，每個人對於壓力的反應都不一樣。手指溫度檢測只是一個簡單快速又有效的方法。

此外，類固醇、鎮定劑、酒精或其他西藥可能會使溫度提高；還有，夏天時手指的溫度會比較高，因為血管在夏天時會比較接近皮膚表層；而當天氣冷時，當然手指溫度也會降低。

需要的工具：溫度計。

檢測方式：

用兩隻手指輕輕夾住溫度計的末端，靜待兩分鐘，或是溫度計自動完成體溫的測量動作為止。

溫度降低的多寡跟壓力的大小有直接的關係，一開始最好能夠觀察一個星期，才能知道自己溫度變化的範圍在哪裡，每天可以在不同的狀況與環境下多測量幾次，並且記錄你當時的情緒與溫度，其結果每個人往往都不一樣。

確認方式：

雖然這個檢測並沒有一個標準溫度，但是我們要知道的是手腳末梢溫度變化的範圍：

二十六度以下：極度壓力

二十六度至二十九度：輕度壓力

二十九度至三十二度：中度放鬆

三十二度至三十五度：放鬆

三十五度以上：非常放鬆

正常的手腳末梢體溫是多少？三十七度是人體的核心體溫，因此，平常如果能維持在三十五度左右就是好的。

壓力檢測法
5

生活壓力檢測分數表

Dr. Wang
怎麼說

體溫與健康的關聯

很多女性普遍在冬季會有手腳冰冷的情況，除了在《自然醫學ＤＩＹ》（第一八〇頁）裡所提到的冷襪療法外，我們也可以藉由生物能回饋的訓練達到放鬆，進而提升體溫的效果。在飲食方面像是咖啡、汽水、甜食、肚子餓（或過度節食）、放鬆前吃太飽等等，也都會間接影響體溫。

日本保健醫學權威石原結實醫師指出，體溫每上升一度，免疫力就會提升百分之三十。而現代人體溫普遍偏低，除了免疫力降低外，也是現代人普遍壓力過大的指標。

我們從自然醫學的立場來看，總認為治病需要注重身心靈的平衡。體溫是身體可以被測量到的有形數據，也確確實實能反映出身心之間不協調的警訊。而它之所以被看重及活用，也是由於只要有體溫計就可以測量到體溫，幾乎任何人在家都能輕鬆做到。就維護健康的自我投資來說，透過一支體溫計來量體溫、記錄身體的健康，是非常划算的。

當然，真的發燒就要注意了，並不是超過三十八度，就代表你超級放鬆喔！

測驗開始

☐ 100 配偶過世
☐ 73 離婚
☐ 65 與配偶或是伴侶分居
☐ 63 坐牢
☐ 63 家族近親過世
☐ 53 身體疾病或是受傷
☐ 50 結婚
☐ 47 被解雇
☐ 45 婚姻調解
☐ 45 退休
☐ 44 家庭成員身體健康狀態出現變化
☐ 40 懷孕
☐ 39 性方面的問題
☐ 39 增加新的家族成員
☐ 39 換新工作
☐ 38 財務上的變動
☐ 37 親近朋友過世
☐ 36 工作上的改變
☐ 35 與伴侶的爭吵
☐ 31 超過新台幣一百萬的貸款
☐ 30 貸款回贖權取消
☐ 29 工作性質的改變
☐ 29 與伴侶家族之間的問題
☐ 28 傑出的個人表現
☐ 26 配偶停止上班
☐ 26 剛開始或結束學業
☐ 25 生活品質的改變
☐ 24 修正個人的習慣
☐ 23 與上司之間的問題
☐ 20 工作時數或內容改變
☐ 20 搬家
☐ 20 轉學
☐ 19 休閒習慣的改變
☐ 19 宗教活動的改變
☐ 18 社交活動的改變
☐ 17 新台幣七十萬以下的貸款
☐ 16 睡眠習慣的改變
☐ 15 家庭聚會的改變
☐ 15 飲食習慣的改變
☐ 13 休假
☐ 12 聖誕節或過年
☐ 11 觸犯小的法律

______ 總分

測驗結果

0 分至 149 分：低危險群
150 分至 299 分：中危險群
300 分以上：高危險群

以上是一份國外常見的生活壓力檢測分數表，它把人生中可能會發生的重大事件，依照對身心壓力的嚴重性給予了不同的分數。（當然，每個人主觀判斷的嚴重性都不一樣，表格裡是一個平均值。）

看看最近一到兩年來有沒有發生上表中列舉的事件，有的話請打勾，最後把打勾的分數加起來。

這個表格列舉了種種人生中可能面臨的壓力，由於每個人的抗壓能力、紓壓能力皆不同，因此可以利用總分大約預測你目前所承受的壓力可能會引起的身體疾病，像是頭痛、胃酸過多、失眠或更嚴重的胃潰瘍，甚至癌症。測驗結果屬於中、低危險群的人，只要學習放鬆與壓力管理的技巧便可以改善現況。對於高危險群的人，每天的放鬆與壓力管理就非常重要了，必須趕緊做妥善的處理，以避免身心失調後引發種種健康問題。

2-2 化解負面情緒的西方藥草

憂鬱症常被稱為「心靈感冒」，因為它就像傷風感冒一樣，是一種常見的疾病。不過就算心情低落、壓力大這些情況已經是現代人的常態問題，但不代表就可以置之不理。有愈來愈多人會在受到負面情緒影響時尋求主流醫學的專業協助，但處方大多是西藥。如史蒂諾斯等處方藥劑，在治療情緒方面雖然效果較快，但如果想要避免副作用（如：不安、煩亂、性功能障礙、口乾舌燥、肥胖等），又覺得同類療法無法帶來踏實感的話，不妨試試西方藥草的保健食品。

在此介紹四種台灣已經可以買到的西方藥草保健食品，供大家參考，可視自身的情況選用：

1 聖約翰草（St. John's wort）

提到抗憂鬱、焦慮、失眠，首推的就是聖約翰草（又名「金絲桃」）。聖約翰草於一九八四年被德國草藥委員會認可為合格的草藥，其最大的功效在於：能夠藉由阻止一些會分解神經傳送素（如多巴胺）的酵素，同時抑制血清素被大腦再攝入，造成神經傳送素在大腦保持循環的速度，讓大腦可以維持情緒的穩定。

另外，聖約翰草對於憂鬱症的幫助遠勝於安慰劑三倍，而副作用和抗憂鬱的西藥相較之下，只有一半不到。根據《英國醫學期刊》（British Medical Journal）指出，在二〇〇五年的一項研究，專員把聖約翰草跟抗憂鬱症的西藥百可舒（Paxil）在兩百五十名輕度到重度不等的憂鬱症患者身上做雙盲實驗。六星期後，聖約翰草的效用跟百可舒不相上下，但副作用卻明顯少了許多。

順帶一提，葛蘭素史克藥廠（GlaxoSmithKline plc）和美國聯邦食品暨藥物管理局，在二〇〇六年發給醫生的一封信指出：抗憂鬱藥物百可舒可能會增加年輕成年人自殺的機率。

不過，由於聖約翰草會與許多西藥的藥性產生衝突，因此正在服用其他西藥的人，請不要服用聖約翰草，以免降低西藥的效果。建議服用聖約翰草之前，請先詢問醫生為宜。

2 銀杏（Ginkgo biloba）

無論在歐洲或北美洲，銀杏可說是最廣泛用來改善情緒與增加記憶力的西方藥草。銀杏可以促進身體與大腦的血液循環，還能夠適度活化，加強記憶，舒緩憂鬱與昏睡的現象。除此之外，它還可以保護大腦的神經細胞不被自由基攻擊。

在憂鬱症的處理上，銀杏對於五十五歲以上的族群效果顯著。曾有研究指出，抗憂鬱的西藥對一位老人家原本沒有效，但是當這位老人家搭配了銀杏使用後，療效就出現了。專家認為，這是因為銀杏會增加大腦裡隨著年齡遞減的「血清素受體」，有中醫所謂「藥引子」的功能。

由於銀杏會促進血液循環，如果有服用任何抗凝血的藥物，例如阿斯匹靈、沃法令阻凝劑等，或有出血、外傷等，請避免服用銀杏。

3 西伯利亞人蔘（Siberian ginseng）

西伯利亞人蔘雖名為「人蔘」，但嚴格說來，跟我們所熟知的花旗蔘與高麗蔘不同，作用也與人蔘不盡相同。

西伯利亞人蔘在西方藥草學上的屬性是「適應原」（adaptogen），凡是「適應原」屬性的草藥，都有讓身體在經過壓力干擾後可以盡快恢復健康的功能。它對腎上腺有著很正面的功能，所以部分因壓力大所引起的慢性病，例如失眠、疲勞、情緒不穩定等，都很適合服用西伯利亞人蔘。

有幾點仍需要注意的事項：西伯利亞人蔘可能會引起某些使用者的緊張情緒，太晚吃可能導致失眠，高血壓患者請先向醫師確認後方可使用。當使用後產生頭痛、喉嚨緊縮、嘔吐、流鼻血、胸口悶痛、心悸、皮膚紅腫癢等不適症狀時，必須馬上停止服用。

值得注意的是，西伯利亞人蔘也會跟西藥產生交互作用，像是治療心血管疾病的「巴必妥酸鹽」，以及針對糖尿病、精神病所開立的西藥處方籤。你若是這些藥物的服用者，請務必詢問醫師之後，再決定是否服用西伯利亞人蔘。另外，小朋友請不要服用西伯利亞人蔘。

4 紅景天（Rhodiola rosea）

紅景天在俄羅斯與北歐等地經常被用來舒緩憂鬱、增強體力、消除疲勞以及預防高山症等。跟西伯利亞人蔘一樣，紅景天被歸類為「適應原」，也是來自於它所擁有的高紓壓性。紅景天與西伯利亞人蔘不同之處在於：服用西伯利亞人蔘可能需要數週才會看到紓壓的效果，但是紅景天往往一顆見效。

2-3 排解情緒的同類製劑處方

「同類療法」（順勢療法）近年來在台灣的能見度和討論度是愈來愈高，是中、西醫以外的一個新選擇。它是由德國哈尼曼醫師所發明的，他發現當一個人生病時，若以同類治療同類，病症可以被治癒（關於哈尼曼醫師如何發明同類療法的故事，可參考我的另一本著作《自然醫學ＤＩＹ》）。

當有人得了會讓人眼淚、鼻涕流不停的「花粉熱」時，哈尼曼醫師會用紅洋蔥稀釋震盪後，做成製劑給病人服用。原理在於：我們剝洋蔥的同時，也會造成眼淚及鼻涕流不停的症狀。結果，病人服用了這個完全不含西藥的製劑後，「花粉熱」的病症果然痊癒。

同類療法問世至今已有兩百多年的歷史，目前除了發源地德國之外，全球許多先進國家如英國、美國、加拿大和宗教聖地印度等，都有許多同類療法的專業進修科系及診所。而同類製劑的種類，也從哈尼曼醫師最初發明的九十九種，至今已有上萬種之多，可見同類療法在全世界的接受度有多高。

至於「以同類治療同類」這個概念執行為何有效，哈尼曼醫師認為，以同類治療同類，就像是給病人照一面鏡子，當病人內心察覺到問題能量所在，「病」就會好起來。

同類療法十大抗憂鬱製劑

當西醫遇到憂鬱症，往往只是給予抗憂鬱劑、鎮定劑、安眠藥、抗精神病藥物等西藥來加以對抗與壓抑症狀。但在同類療法裡，憂鬱症分成很多類型，並且會針對不同類型的憂鬱，給予患者不同的製劑。

至於同類製劑可以到哪裡買呢？如果你有機會前往歐洲（尤其是德國），你會發現街上的藥局到處都買得到各式各樣的同類製劑。台灣近年來也有部分藥局開始販售，這是一件好事。這代表台灣的民眾除了中醫與西醫之外，又多了新的選擇，無非是提高了自己的「治病自主權」。

一般市面上同類療法的宣導與販售，主要是針對身體症狀（如：感冒），而且勢能＊也比較低。根據我在國外多年的臨床經驗，同類療法在情緒平衡的效果是非常顯著的。不過，由於牽涉到處理情緒的層面，我必須再三強調：使用前請務必諮詢受過專業同類療法訓練的醫療人員！

當然，人的情緒有很多種，但是本書的主題並不是談同類療法，所以在這裡我只簡單介紹十種針對憂鬱症狀，在國外臨床效果良好，且較為常見的同類療法製劑。至於「勢能」方面則因人而異，且需要專業的判斷，故不在此贅述。

1 砷製劑（Arsenicum Album）

某些人會因為焦慮而引發憂鬱症狀，擔心自己的健康、怕死、缺乏安全感，這類型的人在同類療法上被稱為「砷體質」。

有砷體質的人往往是完美主義者，思考模式傾向負面性，經常心神不寧，也會有恐懼症，很容易煩惱、生氣。當生命中的痛苦愈大，砷體質的人生氣的強度就愈大，並且容易在睡眠中驚醒。

此外，大部分有砷體質的人，多數時間會感覺到身體比較寒冷。

2 黃金製劑（Aurum Metallicum）

黃金製劑是給有黃金（礦物）體質的人使用，並不代表這類型的人就比較貴氣或稀有，所以不需要從字面上來解讀它。

一般來說，黃金體質的人比較沒有禮貌，容易坐立不安，對未來感覺焦慮，覺得生命是一種很沉重的負擔，也比一般人怕冷。大多數有自殺傾向的憂鬱症患者也具有黃金體質，使用黃

＊由於同類療法製劑的製法是經過「稀釋＋震盪」，所以當「稀釋＋震盪」的次數愈多，勢能就愈高、能量就愈強，更需要視個人狀況來使用！若一位僅適合低勢能的患者使用到高勢能製劑，可能會因為兩者不適合的緣故，而導致proving（同類療法的藥物測試反應）的話，就得不償失了。

金製劑，最容易產生效果。

不過，由於患者有自殺傾向，我建議一定要找受過良好同類療法訓練的專業醫療人員來評估與治療，以避免發生意外。

3 碳酸鈣製劑（Calcarea Carbonica）

假如你是依賴心比較強的人，總覺得自己一直以來很努力工作，卻無法承受過多的工作與壓力，並且有著健康方面的問題，身體總是感覺寒冷，動作較遲緩、懶散，就可能是碳酸鈣體質的人。

擁有這類體質的人，在憂鬱時的特性是會出現焦慮、混淆、自怨自艾的狀況，非常害怕所有事情都變成災難，於是愈想就愈憂鬱。

4 腐蝕藥製劑（Causticum）

具有腐蝕藥體質的人，往往會有健忘、經常哭泣的情況，覺得世界不公平，對周遭所有的人事物都感到憤怒；睡前容易緊張，起床時聲音則會有些沙啞。如果你有這樣的症狀，那麼你可能就適合腐蝕藥製劑。

此外，當失去親人或是沉浸在極度悲傷的狀態時，也可以藉由腐蝕藥製劑來舒緩情緒。

5 洋馬錢子製劑（Ignatia）

洋馬錢子又稱「呂宋果」。當失去親人、摯愛，或是遇到重大的情緒創傷，發現自己的情緒會不斷變動（腦筋轉得很快，做事也變得很快），一下子哭、一下子笑時，就符合洋馬錢子的狀態。

此外，經常嘆氣，而且覺得喉嚨總是有東西卡住，情緒容易緊張，喜歡獨處，討厭香菸、咖啡的憂鬱人士，也具有洋馬錢子製劑的體質。

6 磷酸鉀製劑（Kali Phosphoricum）

磷酸鉀製劑最適合用於工作過量、腦袋緊繃，或是身心疲乏所引起的憂鬱症狀。

7 海鹽製劑（Natrum Muriaticum）

屬於海鹽體質的人，個性十分內斂，平常也不善於表達情感，但是當他憂鬱時，則會對別人的關懷感到暴躁不安，容易被惹惱。此外，討厭陽光、口味偏鹹也是海鹽體質的特色之一。如果有上述情況，不妨試試使用海鹽製劑吧！

8 白頭翁製劑（Pulsatila）

如果你是個喜歡依賴別人、個性很敏感，即使是芝麻綠豆般小事也會讓你淚流不止的人，那麼，你就屬於白頭翁體質。

擁有白頭翁體質的人，在溫度比較溫暖的情況下，憂鬱的狀況會更糟。如果是女性，也特別容易在經期或更年期感到情緒起伏不定，心情容易不好。

9 烏賊墨汁製劑（Sepia）

這款製劑與其他製劑最大的不同在於：烏賊墨汁製劑是一款比較適合女性使用的製劑。假如妳對家庭不理不睬、不想工作、對娛樂不感興趣，討厭用腦，並且性冷感，那麼妳可能擁有著烏賊墨汁體質。

烏賊墨汁體質的人很容易昏倒，害怕獨處，害怕男人，害怕與朋友碰面，總是因為疲勞或煩躁而感覺憂鬱，受到安慰時心情卻反倒更糟糕。這類型的憂鬱現象，往往是因為賀爾蒙失調所引起，建議除了使用適當的製劑外，定期運動也會讓心情變好。

10 飛燕草製劑（Staphysagria）

飛燕草體質的憂鬱，通常來自於本身情緒的壓抑，尤其是當自己的空間或原則被別人侵犯時，會感到很生氣。但在氣頭的當下卻說不出口。

擁有飛燕草體質的人往往很安靜，容易頭痛，失眠的症狀總是伴隨著憂鬱而來，是典型的「有話不直說」。可能對性愛沉迷，而且特別愛手淫。

Dr. Wang 怎麼說

專治緊張情緒的第十一種製劑

除了以上十種同類製劑之外，我特別偏好胡蔓藤製劑（Gelsemium），主要是用來治療緊張的情緒。

記得第一次參與大型演講時，上台前非常緊張，緊張到胃開始絞痛。我馬上想到使用這瓶胡蔓藤製劑，胃的不舒服立刻就消失！

雖然上台時緊張的感覺依然存在，但至少已經沒有胃絞痛的不舒服感來干擾我，我的演講才能完美落幕。因此，爾後當我的朋友或者個案容易因為焦慮、緊張而情緒低落時，我常會建議他們試試胡蔓藤製劑。

2-4 平衡情緒的自然能量——花精

第一次聽到花精的人，大多會以為花精就是精油，其實兩者是完全不一樣的東西。花精是由英國醫生愛德華．巴哈（Edward Bach）於一九三〇年發明，他在行醫的過程中，發現某些特定植物（大多數是花）在近似同類療法的原理製作下，對人類的負面情緒有平衡釋放的作用，並可間接回復身體健康的平衡，因此取名為「花精」（Flower Essence）。巴哈花精因翻譯不同，又稱為「貝曲花精」或「巴赫花精」。

花精是一種純天然的產物，不會干擾西藥，更不會有副作用。

花精，守護了一個小生命

數年前，我有一個個案，是一位女性，她已懷胎四個半月，卻一直想要將孩子拿掉。我十分納悶，已生過一個孩子的她，為什麼想要拿掉第二個孩子？

原來，在懷第一個小孩之前，相貌美麗的她，身材十分窈窕，即使已婚，走在路上仍然可以感受到異性投來的讚賞眼光。沒想到懷孕時不僅罹患了妊娠糖尿症，產後體重也一直降不下來，她擔心第二胎如果又重蹈覆轍，變得更胖、更醜怎麼辦？

為此，她陷入深層的擔憂與恐懼，覺得自然醫學是她最後的希望，如果我無法處理她的負面情緒，她當天下午就要去醫院墮胎！

在三十八種對應不同情緒的花精中，有專門處理「恐懼」的花精，這位個案的問題，很明顯是出自對曾經發生過的經驗感到恐懼。於是，我針對這個情緒，開了當下適合她使用的花精。

一週之後，當她再度來到我診間的瞬間，我立刻瞄向她的肚皮。還好，肚皮仍然是微凸的，小生命被留下來了。這是我第一次深切感受到花精能量的偉大！誰說自然醫學不能處理急症呢？

她告訴我，使用花精後，情緒確實有比較穩定的感覺，也不再容易胡思亂想。於是，我持續幫助她在懷孕過程中情緒的平穩，並且使用撥恩技巧幫她做身體上的調整，直到她生產為止。她發現，這次懷孕感覺很輕鬆，之前懷孕時產生水腫與腰痠背痛的不適，在花精跟撥恩技巧的搭配下，症狀都減輕了許多。

後來，據媽媽的形容，小嬰兒出生後，與第一胎的姊姊比起來，妹妹明顯好帶許多，不太會亂哭鬧，真是一位花精小天使。

居家必備的七種花精

巴哈花精總共有三十八種，每一種花精都可以對應及平衡心理上的一種情緒。但是，如果想把三十八種花精買齊全，再加上要花費相當時間去熟知每種花精的特性，對於一般人而言，真的難度很高，而且也是一筆不小的開銷。

所以，我挑選了七大居家花精，一般家庭只要準備這七種花精，大致上就足以應付日常生活偶爾出現的情緒問題。當然，能從三十八種花精當中精準挑選出最適合的花精更好！

七種居家必備花精與對應的情緒，按照英文字母順序分別如下表。

補充說明：急救花精是由櫻桃李、鐵線蓮、鳳仙花、巖薔薇、聖星百合所組合而成。當你無法確定自己該採購哪些花精備用或初次接觸花精的人，可以試著先從準備一瓶急救花精開始。

學名	對應症狀
櫻桃李（Cherry Plum）	害怕失去控制、肌肉緊繃與顫抖
鐵線蓮（Clematis）	頭暈、健忘、愛做白日夢、逃避現況
忍冬（Honeysuckle）	想家、沉溺在過去
鳳仙花（Impatiens）	不耐煩、煩躁
巖薔薇（Rock Rose）	恐懼、驚慌失措、神經過度反應
聖星百合（Star Bethlehem）	憂傷、心痛、突如其來的恐懼與驚嚇、昏迷、創傷症候群
急救花精（Rescue Remedy）	減緩緊張、發抖、害怕、恐懼、恐慌、焦慮、擔心、掛念等症狀，具有鎮定、鎮驚、激發身體自癒系統等功能

如何使用花精？

花精主要是在處理情緒，而非應對病狀。因此，使用者必須先學習分辨自己的情緒。可是東方人生性較為壓抑，個案常常會說：「我覺得很不爽！」卻無法在第一時間判斷出所謂的「不爽」，指的究竟是憤怒、不安、失落感、嫉妒，還是被輕視的感覺。

這些都需要一些時間來練習，建議你不妨從生活中開始觀察、分辨自己的情緒，如此一來，就可以學著開始針對自己的情緒，選擇對應的花精（七種或三十八種）。不過，一旦在情緒快要崩潰或失控時（例如家人發生意外、和情人分手、重度憂鬱等狀況），就不需要多加考慮，直接使用急救花精就對了！

除了成人之外，嬰幼兒與寵物也可以使用花精。正確的使用方式是將花精噴或滴在舌頭下，每次二至四滴。透過舌下豐富的微血管吸收，花精可以直接進入體內循環，比食用式的吸收效果快也比較好。

另外，花精也可以用紗布濕敷在神門穴或三陰交穴。神門穴為心經的大穴，主管一切情緒。而三陰交穴則為

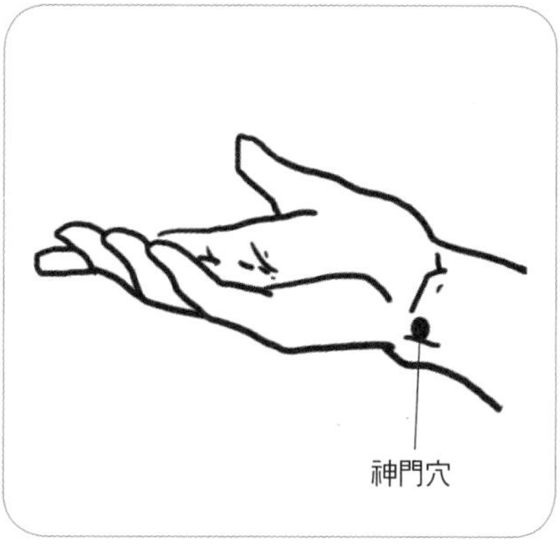

肝、脾、腎三經交會點，對應到憤怒、擔憂、恐懼的情緒，因此會達到高度安撫的效果。

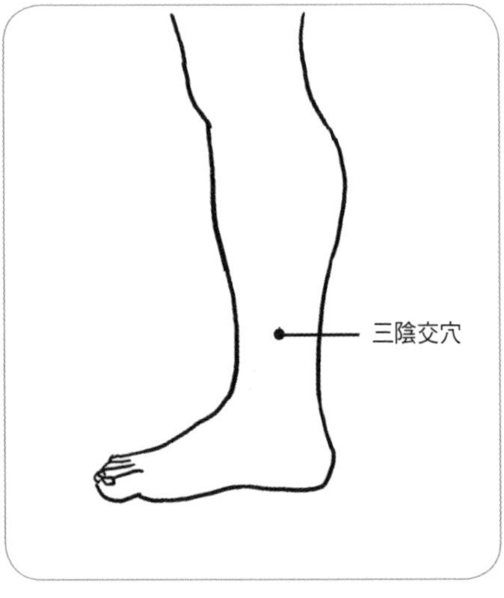

＊礙於篇幅，本書在此僅列舉出部分花精與情緒的基本對應資訊，有興趣的讀者可再另行參閱相關專論花精之書籍。

2-5 EFT情緒釋放技巧

《祕密》一書在全世界造成旋風，這幾年只要有跟「吸引力法則」相關的資訊瞬間填滿了整個世界。但是你知道嗎？「真正的祕密」根本沒有點破！市面上所有的書都在教導大家要正面思考，過著不抱怨的生活，但是卻沒有告訴你們：正面思考背後的負面情緒又該如何處理呢？正面思考後就真的會心想事成了嗎？

揭開「祕密」不成功的神祕面紗

「負面情緒」跟「正面情緒」一樣，都是心靈的一部分，並不會因為我們轉成「正向思考」後就憑空消失；更有可能的是「它還可能是負責扯後腿的角色」。

舉例來說：一項比賽，每個參賽者都一定是志在第一名才參加。但是如果你依循正向思考的邏輯來說，你會在心中一直默唸：「我一定會得第一名！」只是，萬一你在心中出現了反彈的自言自語，像是：「其實我沒那麼行，其實某某對手比我厲害。」甚至開始想：「萬一成名，會不會影響我的工作與生活？」等等的衝突思緒開始胡亂出現，你覺得如此一來，你的正面思考會打得贏負面情緒嗎？最後的結果可想而知，一定不盡人意。

由上述的例子我們可以發現，負面情緒對我們的影響有多大。因此，主動設定的正面思考，並不代表就一定能激起正面情緒，從潛意識發起的負面情緒影響力才更驚人。所以假設我們只是透過正向思考來壓抑自己內在的負面情緒，讓自己「只往好處想，別往壞處想」，這種只是沒有任何幫助的壓抑，就像是藉著西藥抑制症狀般糟糕，更甚之會引發更大的反作用力！

要知道：當你的「祕密」與「吸引力法則」沒辦法成功，就是因為你沒有清除掉潛意識的負面情緒。

接續著本章節所要介紹的ＥＦＴ，就可以有效幫助你消除負面情緒所帶來的影響。

ＥＦＴ的由來

「ＥＦＴ情緒釋放技巧」（Emotional Freedom Technique，簡稱ＥＦＴ）源自於美國的心理學博士羅傑．卡拉漢（Roger J. Callahan）醫師。卡拉漢博士有一位年約四十的患者瑪麗，她有著很嚴重的恐水症，畢生不敢靠近水邊，恐水的程度讓她無法好好生活，因為連清潔、洗澡對她而言都是非常大的壓力，甚至連大雨天都會讓她足不出戶。

羅傑．卡拉漢醫生想盡辦法要治療她。然而花了一年的時間，也不過僅能讓瑪麗願意把腳放在泳池邊，因為對瑪麗而言，連直視水都是很可怕的事。某日，兩人坐在泳池旁的院子聊天，瑪麗表示看到水之所以讓她害怕，是因為：「我感覺在胃的深處有一股力量侵襲著我。」這段話讓卡拉漢博士想起中醫論點裡，眼睛正下方的穴道，是胃經的終點。因此他試著請瑪麗一面專注在恐水對胃部造成的情緒壓力，一面用手指按摩她眼睛下方的穴道（承泣穴）。奇妙的事情發生了，瑪麗對水的恐懼突然消失，她不再畏懼水，甚至直接跳入泳池裡。

於是，卡拉漢博士藉由治療瑪麗的經驗，著手研究，並發展了數百種針對不同情緒治療，所衍生出的穴位敲打組合，他稱為思維場療法（Thought Field Therapy，簡稱ＴＦＴ）。

由於ＴＦＴ的技巧太複雜，一般人並不易學習，於是，在卡拉漢博士的一位工程師出身的學生蓋瑞．克雷格（Gary Craig）參照了三百多位個案，研究出更簡單的技巧，並將它稱為「情緒釋放技巧」（Emotional Freedom Technique，簡稱ＥＦＴ）。

目前，在歐洲、澳洲及北美洲，許多心理學專家都已經採用ＥＦＴ來處理求助者的負面情緒。根據各國心理學專家的臨床實驗證明：ＥＦＴ的確可以在三至五分鐘內平緩人們的負面情緒，展現出可信度極高的效果。

而接受過ＥＦＴ的求助者也證實，只要方法正確，他們經歷過的創傷與虐待所造成的驚慌與恐懼、憂鬱、上癮的渴望等等這些難以計數的負面情緒，以及伴隨產生的肉體症狀，包括頭痛、肢體疼痛、呼吸困難等，超過百分之八十以上的心理及生理反應都因為ＥＦＴ獲得改善，甚至完全解決。

一分鐘，「敲」走負面情緒

當負面情緒出現或是身體不舒服時，請將注意力集中在情緒（如：焦慮、恐懼、擔心、害怕、無助、寂寞等等）上，並為情緒強度評分：為自身的情緒打強度評分，範圍為零分到十分，零分為沒有情緒，十分為情緒達最高（或最糟）的程度。然後以食指跟中指（也可以加入無名指），按照敲打順序，對應左右邊都可以，輕輕敲五至六下，或直到敲到情緒發洩了為止。

EFT 技巧練習 1

情緒釋放敲打法

感覺一下現在的情緒，並將目前的負面情緒打個分數。接著，按照敲打順序進行敲打，並同時說出自己目前想處理的情緒。例如：「我很難過。」

依照敲打順序，敲完後，請再感覺看看現在情緒強度為幾分。如果分數還很高，請再從步驟一開始，重新再進行敲打順序。直到覺得負面情緒減輕到感覺舒服或消失為止。百分之八十以上的人會感覺到負面情緒消失得很快，有的人甚至只敲一次，就將心情不舒服的感覺降低到感覺輕鬆！

步驟①至步驟⑧為ＥＦＴ情緒釋放法的簡易敲打版本，敲打順序可以一直重複，直到你感覺到放鬆了為止。本書為了保持ＥＦＴ實行的簡易度，就不再介紹高階的步驟。當然也有些人發現加上高階部分做完效果會比較好，結果因人而異，可以自己體驗看看。不過，ＥＦＴ後來也出現了不同的派別，我個人常用的則是變化版。

此外，ＥＦＴ所敲的每一個地方，都可以對應到中醫的經脈。步驟一對應到膀胱經，其他依序對應到膽經、胃經、心包經、任脈、腎經、脾經及督脈。

① 輕敲眉心中間

② 輕敲左右的眉頭

③ 輕敲眼睛的正下方

④ 輕敲人中

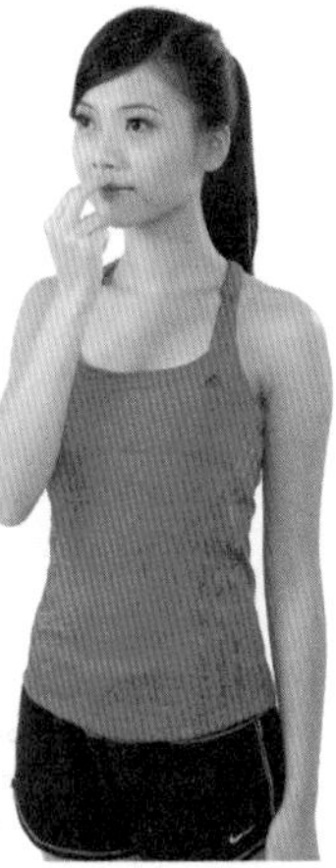

⑤ 輕敲唇下

⑥ 輕敲鎖骨下方

⑦ 輕敲腋下

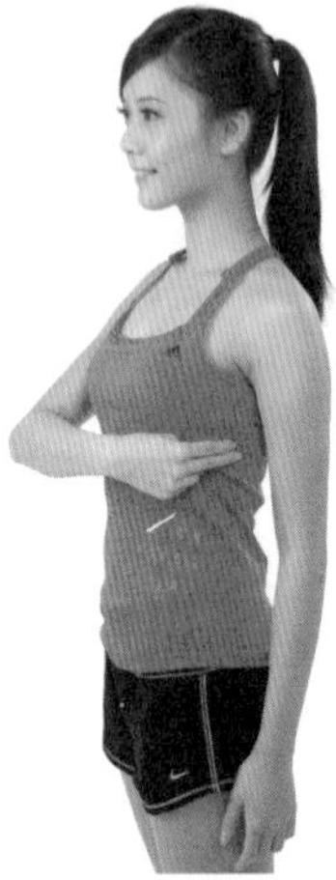

⑧ 輕敲頭頂

手刀點，逆轉負面情緒的關鍵

在EFT情緒釋放技巧中，「手刀點」是逆轉想法的關鍵。藉由輕敲手刀點，利用心理反向點的基礎理論，反轉一直以來被桎梏的情緒。

卡拉漢博士認為，有先進行輕敲手刀點的EFT，比沒有先進行輕敲手刀點的EFT多了百分之五十的成效！所以，當你發現進行了步驟①至步驟⑧敲打順序後，並沒有辦法有效地釋放情緒時，可以試試看先做輕敲手刀點的動作，再接續進行EFT基本八個步驟的敲打順序。

我們從中醫的角度來看，手刀點的位置也稱為「後溪穴」。這個穴道不僅與脊椎相關，也與大腦連結。因此EFT情緒釋放技巧才會以「手刀點」來做為反轉的關鍵點。「後溪穴」是奇經八脈的交會穴，在情緒上有舒經、利竅、寧神、開鬱，治療失眠等的功能。

附帶一提，網路上有人使用雙手互敲打手刀點的方法，我不想評斷別人怎麼做，或是他們是去哪邊學來的EFT。但是EFT創始人Gary Craig在現場授課以及網路影片教導手刀點時，都只用單手敲一邊，而不是什麼奇怪的雙手互敲。希望大家以祖師爺正確的範本為主，效果會最好。

EFT 技巧 練習 2

手刀點敲打法

輕敲左、右任一手的手刀點，並唸出：「雖然我因為某某事件而感覺到＿＿＿＿＿，但是我還是全然地接受我自己，並且愛我自己。」（空白處請填入你覺得自己負面情況或是情緒的句子，例如：「雖然我覺得自己很糟糕」，或是「雖然我現在感覺到很憤怒」。）

接著再開始進行敲打步驟①至步驟⑧。

補充練習1：EFT如何幫助疾病症狀的紓緩

輕敲左、右任一手的手刀點，並唸出：「雖然我因為某某疾病而感覺到＿＿＿＿＿，但是我還是全然地接受我自己，並且愛我自己。」（空白處請填入當下這個疾病帶給你的身體上或心裡不舒服的感覺，例如：很痛、很難過、很不舒服、很絕望等。）

接著再開始進行敲打步驟①至步驟⑧。

補充練習2：EFT如何幫助你改變命運

在第一章我們已經談過，你的信念與價值觀是由情緒、合理化解釋以及證據三者所建立起來的。證據是我們無法改變的事實，處理「合理化解釋」，則很容易進到大腦無限空轉的陷阱，因此，要改變信念最快

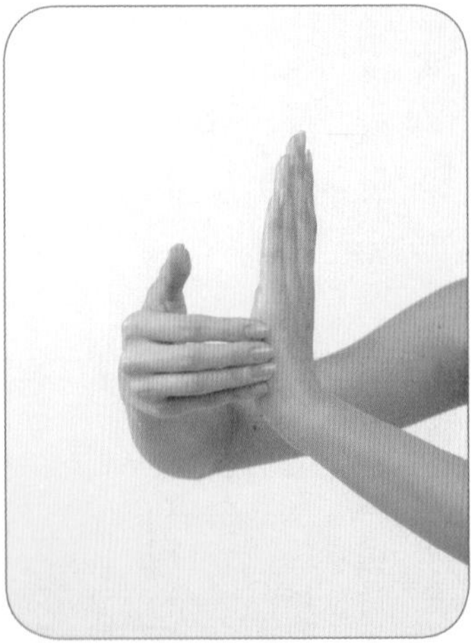

速的方法在於：釋放掉單一信念所產生出來的負面情緒。

首先，寫下任何最近讓你不開心的事件與情緒。

輕敲左、右任一手的手刀點，並唸出：「雖然我因為某某事件而感覺到＿＿＿＿，但是我還是全然地接受我自己，並且愛我自己。」（空白處請填入你覺得自己負面情況或是情緒的句子，例如：「雖然我覺得自己很糟糕」，或是「雖然我現在感覺到很憤怒」。）

接著再開始進行敲打步驟①至步驟⑧。

做EFT需要冗長繁複引導詞或設定句嗎？有一句話是這麼說的：「複雜的事情簡單做，你就是專家。」當你需要EFT時，往往是心情低落的時候，我不建議你花精力專注在思考引導詞或設定句上面。面對出頭的釘子，直接砸下去就對了，直接敲打、釋放掉你的情緒吧！別讓引導詞給你更多更大的壓力。

EFT可以應用的層面非常的廣泛，Gary Craig很佛心的把EFT的使用手冊免費放在網路讓大眾下載，也鼓勵大家嘗試把EFT使用到生活的各個層面（Try it on everything）。我個人也認為EFT的潛力無窮，可以助人開啟無限的可能性，所以讀者們可以好好地實驗與多方嘗試，為自己開創出更美好的未來。

Dr. Wang 怎麼說

情緒不等於想法或事件

有時候雖然我們做了ＥＦＴ情緒釋放技巧，卻還是覺得負面情緒繞樑於心？很有可能是你明明已經受到負面情緒的影響，導致生活和健康都亮了紅燈，但因為「無法原諒自己」或「潛意識希望沉浸在負面情緒中」的深層想法，讓情緒無法真正地釋放，只是你並未發現。

我曾經詢問前來諮詢的個案：「你的腰痠帶給你的情緒是什麼？」

個案回答我：「我已經這把年紀了，什麼大風大浪沒見過？現在這個腰痠的問題根本不算什麼啦！哪會還有什麼情緒？」

個案的回答讓我當下在心中浮現一個想法：「那，阿伯你來找我做什麼？」

這相對反映出了很多人根本不在乎情緒，或者本能地去壓抑、去忽視情緒。所以當我面對到個案是屬於不願意對外敞開心胸交談，或是無法清楚察覺自己情緒的，我會先建議個案使用巴哈花精，將負面情緒做初步的平衡與釋放之後，再接續進行ＥＦＴ情緒釋放技巧。

情緒是「喜、怒、哀、樂」所組成，而不是一個想法或事件。簡單舉例來說好了，一個想要減肥選擇克制甜食習慣的人，有很多時刻會突然很想吃甜食，不吃會覺得非常沮喪。那麼在這單一事件我們得看出來，要使用ＥＦＴ敲打消除的情緒是「沮喪」，而不是「想吃甜食」這個事件。

ＥＦＴ情緒釋放技巧也可以用在處理身體的不舒服。以頭痛為例，先將注意力放在頭痛上，為疼痛的強度以零分到十分來打個分數；然後再按照敲打順序，進行步驟①至步驟⑧的敲打步驟，輕敲身體的八個部位，敲完後再感受、評估一下疼痛的分數。重複輕敲的敲打順序，每敲完一個回合就感覺疼痛分數，直到感覺舒服或疼痛消失為止。

但有時候，心裡湧上的不開心感覺不只是一種情緒所組合而成時，我們需要一點時間來練習，平常從生活中可以時常試著觀察及分辨自己的情緒，才能提升釋放情緒時的準確度，將此時一併出現干擾心情的其他負面情緒也釋放掉。例如：被罵的當下會很生氣，卻同時會感受到委屈或抱歉；在這個事件裡我們要釋放掉的，就不只是生氣，還有委屈跟感到抱歉。

「ＥＦＴ情緒釋放技巧」，顧名思義就是要對應到情緒，效果才會好。我發現，單純地針對不舒服的症狀，效果只有普通而已；如果能夠察覺到這個不舒服的症狀所伴隨而來的情緒並加以處理，效果會加乘許多。

根據國外臨床實驗與眾多文獻指出，ＥＦＴ對百分之七十五至百分之八十的個案有效，而且比傳統的心理療法好上許多倍。這是我個人非常喜歡且經常使用的技巧，希望大家都能夠體驗到ＥＦＴ釋放情緒的驚人威力。

2-6 消除不愉快記憶的TAT技巧

除了上述篇幅所介紹的EFT情緒釋放技巧以外，如果你，或你關心的人曾經遭遇過重大事件而引起心靈的創傷（如：地震、家暴、意外、性侵、背叛、分手、離婚等等），亦或腦海一直存有著一些不愉快的記憶，想忘記卻忘不了時，我們可以使用「達帕思指壓技巧」（Tapas Acupressure Technique，簡稱TAT）。

TAT是由美國加州的針灸醫生達帕思．佛雷明（Tapas Fleming）女士於一九九三年所發明。她在透過針灸治療病人的過程中發現，當病人的手維持在某些特定的姿勢時，針灸的治療效果特別好。後來便在多方研究之下，發明了TAT。

佛雷明醫生認為情緒的創傷會阻礙生命力的正常運作，而根據佛雷明醫生發明的定義：「TAT是一個可以去除情緒創傷壓力、減緩過敏反應以及釋放負面信念的簡易方法。」目前TAT是美國加州針灸局認可的針灸醫生進修課程之一。

TAT與中醫的關聯

TAT按壓的部位主要有三個穴道：左眼、右眼的眼頭（睛明穴），以及印堂穴。「睛明穴」是所有能量進到大腦的穴位，只要將手指放置在這兩個穴位上，就等於掌管了所有能量。根據中醫的說法，睛明穴有明目怯風、鬆弛眼神經的功效。

「印堂穴」俗稱第三眼，也就是所有直覺的種子。在相學上稱為「命宮」，是人的精神凝聚所在。以中醫的角度來看，印堂穴是督脈的奇穴，為肺經的聚氣處，按摩印堂穴有清頭明目、通鼻開竅、安神寧志等功效。

佛雷明醫生認為，當這三個穴位同時輕輕按壓時，便可以打開身體經絡的通道。當腦海中正確的意念搭配按壓正確的穴位，就可以釋放阻礙生命力的負能量，也同時釋放累積在情緒裡面的負面信念。

很多人都形容體驗TAT技巧後的心情，就像天上的烏雲一掃而空了。不過倘若做完TAT後才出現其他情緒，其實是在提醒，你的內心還有更深層的負面信念與情緒需要被處理與釋放。

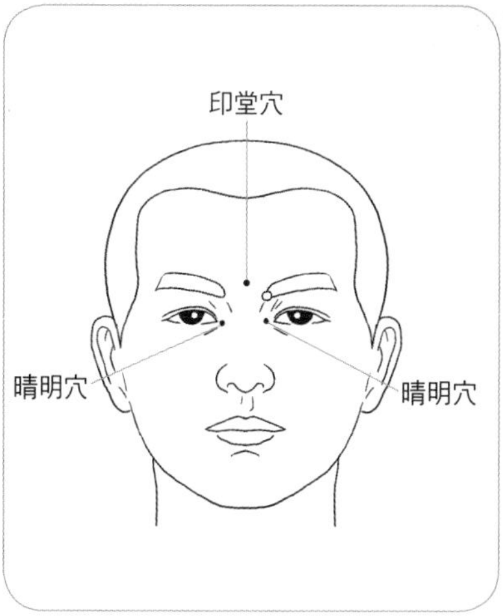

不管你是透過EFT情緒釋放技巧，還是TAT技巧，只要使用完之後能感受到內心的平靜及自由，就代表能量已經釋放完成了，你的內心已經和技巧相呼應產生了療癒的效果。但是，「療癒」並不是因為「技巧」才「發生」，這些技巧只是一個媒介工具，當技巧能讓你身心靈的生命力流動暢通，療癒就會自然產生。

TAT技巧練習1

穴位按壓法

①首先，將右手的大拇指和無名指放在兩眼眼頭，中指則放置在眉心中間。左手放在後腦杓處輕微托住。

②十一歲以下的孩童，右手放在前額即可。

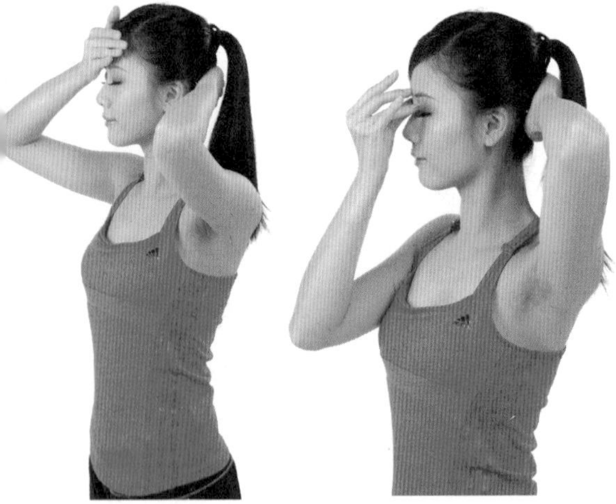

③對於體質較弱，或者對於身體接觸較為敏感的人，請將右手掌心貼於前額上，左手則位置不變。

注意事項：

在幫助任何人做TAT之前，請務必取得當事人之同意。

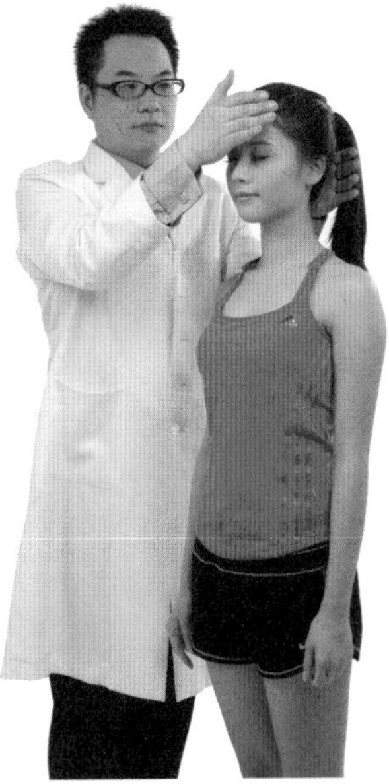

如何開始用TAT技巧自我療癒？

如果是第一次進行TAT，請擺出TAT技巧的標準姿勢，並將心思專注於在以下三個句子：

①「TAT太簡單了，這麼簡單的東西不可能有效。」

②「TAT是個很簡單實用的方法。」

③「我值得享有並體驗富足的人生，同時我願意接受所有的愛、幫助及療癒。」

接續以下的每一個步驟，請專心於在每個步驟要求你所開口講的句子約一分鐘，或是直到你完成步驟動作為止。

怎樣才知道完成了呢？當你嘆氣、覺得放鬆、覺得問題不再困擾你、思緒不再集中在負面記憶裡，身體的能量轉移或釋放，感覺有所轉移，手痠想放下，或是自己覺得「這樣可以了」，即可視為「完成」。

當然可能會有部分的使用者會覺得什麼感覺都沒有，那就每一個步驟做一分鐘即可。

孩童所需的療癒時間，可能會比成人短很多。

1 設定句型．事實面

視問題與影響事件的狀況，這個步驟可以有很多變化。首先是療癒過去所發生過的創傷。

請記得：TAT的目的並非讓受創傷的人為了治療，而再重新體驗一次痛苦，通常只要接受TAT技巧的那一方心中知道是哪件事情即可。

我們可用的句型是：

「這個事情發生了。」

如果你覺得把事情描述得更清楚會對你更有幫助的話，則可以使用：

「＿＿＿＿＿＿＿＿發生了。」

請描述發生的事件，例如：「地震發生了」或「我的皮夾掉了」。

2 設定句型・釋放面

和步驟1相同，這個步驟也可以有很多變化。請記得：當你專注在一個釋放句型，也就是提出相反的安撫想法時，例如：你明明還是很在意，句型設定也許會是「我不在意」；你可能會覺得這違背了本意，但是這樣的矛盾其實很正常，你並不需要「相信」你所說的話，而是「盡量專注在這個設定句型或可能性」即可。

當你使用TAT來療癒過去所發生的某件事，你的設定句型可以說：

「這件事情雖然發生了，但它也已經結束了。現在的我很好，一切都很安全，我可以放鬆了。」

即使就情緒上而言你覺得不好，但請你仍然使用這樣的句型。因為「我很好」這個句子，是利用心理反向點來做釋放，代表內在的你沒有被任何事件影響，不管發生什麼事情，內在的你是很安全的，而且永遠都很好。

對於正在經歷的事件，則使用這樣的句型：

「這件事情正在發生，但是我一切都很好。」

3 療癒地點

創傷和負面情緒可能會累積或儲存在身體的不同部位，或者在事件發生的地點、時間或季節，甚至一群人，或是一個種族。每個人累積創傷的部位都不同，我們並不需要去想起事件是在什麼時候或什麼地點發生的，或是累積在哪裡。只要知道它們會在TAT的過程中被療癒即可。

請把注意力放在這樣的句型：

「所有儲存或累積在我生命中，以及身心靈中的一切，現在都正在被療癒。」

或是：

「上帝（依個人信仰的不同，如老天爺、神等等都可以），感謝祢療癒所有儲存或累積在我生命中，以及身心靈的一切。」

4 療癒源頭

針對「源頭」，可療癒任何時間、地點、發生在你身上的任何事件，或者所導致事件的你的問題。例如：孩提時任何人的觸碰、打罵、惡夢、記憶、潛意識等，那些另你不安、不愉快的記憶；你不需要去了解到底發生過什麼事情，只要專注在療癒的意念上。

首先，專注在：

「所有問題的根源，現在都正在被療癒。」

或是：

「上帝（或其他信仰稱呼），感謝祢療癒所有問題的根源。」

5 寬恕療癒

寬恕又分為三個步驟：寬恕他人、寬恕自己、寬恕任何牽扯在事件當中被你埋怨的人。

你並不需要去思考或了解到底誰被牽扯在事件當中，只要專注在寬恕的意念上即可。寬恕是非常重要的，當我們生氣、憤怒、對別人產生惡意時，就是把自己跟對方緊緊綁在一起，而且會耗損能量，防止我們的人生向前、消磨快樂。

你必須了解，當你寬恕某人時，並不代表你原諒了他們所做的事情，也不代表你跟他們之間的關係必須變好。你會發現，在「寬恕」之後，你可能會、也可能不會選擇跟這些人建立新的或不同的關係。

有些人會在身心靈的種種層面傷害你，最重要的是你要懂得保護自己本身的安全，進而處理並釋放你跟這些人的負面關係。「寬恕」，可以幫助你做到這些。最重要的是，我們是為了

「自己」在寬恕別人，而不是為了做給特定的人看的，或者是想得到回應與道歉。

請專注在以下的三個句子，一次一句：

「我向我曾經傷害過、跟這件事有關的每一個人道歉。希望他們都是被愛、快樂而且平和的。」

「我原諒曾經傷害過我、跟這件事有關的每一個人。希望他們都是被愛、快樂而且平和的。」

「我原諒所有因此被我譴責的人，包括上帝（或其他信仰稱呼），以及我自己。」

6 療癒部分自我（內在小孩或分靈體）

有時候，「你」的其一部分（分靈體）會在你目前所遭遇的問題中得到好處或甜頭（繼發性獲益）。或許你並不知道潛意識的自我會透過把你困在現有的問題中，去維護一個看似安全的處境。例如：你明明深陷在一段很糟糕的感情中卻逃脫不了，是因為你其中一部分的自我並不看好你結束這段感情之後你會遇見更好的人；所以你保持在雖然不滿、但至少是可以掌控的安全感中，對你而言是最安全有利的。

不必為此感到驚訝或想要否認，這是任何人都存在的潛在思維。這是一份阻礙，如果你真心希望突破現況，就必須面對它並療癒它。

TAT的好處是：你不需要知道怎麼做才是對你最好的，也不必去承認、接受或過多分析。事情很自然就會發生，只要維持動作，把專注力放在這些步驟，阻礙就會自動清除。

請專注在這樣的句型上：

「這件事情雖然讓我有所得，但是都正在被療癒中。」

如果你感覺到療癒過程中有阻礙，那麼你可以跟你內在的自我進行溝通（有聲或無聲都可以），因為這可能是內在小孩、分靈體或是你身體的器官（例如：胃）在保護你，又或者是你潛意識的本能在阻礙。不過，也有可能根本無從判斷是哪個部位在「自以為這樣對你好」而做出防衛。總之，就直接對話吧！告訴這些部分：「這件事情已經結束了，可以放鬆了。」

7 療癒其他

如果你覺得還是有「東西」沒被處理好或釋放完全的話，請專注於此：

「不管這件事情還剩下什麼，都正在被療癒中。」

做完這些動作的現在，我們可以從第一步驟重新檢視，看看還有沒有其他沒有處理到的問題。

有時候在療癒過程中，其他的問題會漸漸浮現出來，這時我們可以重複TAT。通常只需要重複步驟1至步驟2就足夠了。

8 正向選擇

想像任何和這件事情有關，而且是你想要的正面結果。例如：害怕在眾人面前表演的人，可以想像自己正站在台上，表演完美且非常鎮定。

在這個步驟中，越能把自己融入腦中想像的場景越重要。最好的方法是：「大聲說出想法讓自己聽到，並試著感覺它會是什麼樣子。」像是心跳速度緩慢、放鬆的感覺或滿足的微笑；感覺著你的演出正完美著，就像你衷心希望地那樣。

如果你需要句型，請專注在：

「我選擇＿＿＿＿＿＿＿＿。」

空白處請填入任何你想要跟這件事情有關的正向結果。例如：「我選擇當一個充滿表演魅力又不怯場的人。」

9 療癒整合

這個步驟是把所有療癒整合進入我們身心靈的系統步驟。總共有三個步驟。

首先請專注在這個句型：

「這個療癒正在完美地整合當中。」

或是：

「上帝（或其他信仰稱呼），感謝祢現在完美地整合了這個療癒。」

接著，把雙手換個位置，說出感謝：不管你覺得幫助你身心靈療癒的是誰，例如：神、上帝或菩薩等等都可以，總之，感謝祂們。

注意事項：

①進行TAT技巧時，如果手累了，可以換手做。但是做TAT技巧時一天不要超過二十分鐘，因為TAT會讓身心靈轉變極大，請務必給身體一點時間來接受轉變。

②請勿將手放置在穴位上超過四分鐘，以避免頭暈。但可以不斷換手操作。

③進行TAT當天，請攝取六至八杯水。

④有時在TAT的過程中，腦海會出現某些畫面，或心中出現聲音或是OS。請不需要理會它們，持續按照步驟進行即可。

⑤TAT可能會使原本清晰的記憶變得模糊不清。如果讓你受到傷害的事件需要上法院做證詞，請先別使用TAT，因為TAT會影響你的記憶清晰度，使得佐證困難。

⑥在TAT的過程中，如果出現某些不尋常的感覺，或是原本的問題變得很強烈，轉變成思緒的焦點時，請繼續維持TAT的姿勢，將專注力慢慢拉回到這個步驟應該專注的思緒上，通常混亂的思緒會在一分鐘後就逐漸平息。如果沒有，請尋求專業的TAT治療師或是專業的精神科醫生協助。

補充說明：

①TAT的好處：簡單易學，可以同時教導多人使用，療癒性強且不需要任何花費。

②使用者不需再度經歷創傷，可避免二次傷害。無副作用。

③目前TAT已被印尼、墨西哥、巴基斯坦等國家運用在災難救助上，協助復原災難生還者的情緒。

④以上內容取自TAT官方說明，想得到更多TAT的相關詳情，請上官方網站：www.tatlife.com。

Dr. Wang 怎麼說

給忙碌的你：TAT變化版

有一年我在愛爾蘭流浪，一位叫做Irene的療癒師教了我一個TAT的變化版。

我們大腦百分之八十的血液流量都集中在前額葉，我們可以如左圖所示，將大拇指輕輕放在太陽穴，而其他四指輕輕地放在前額葉上，二至四分鐘即可。這樣的姿勢可以加快血液循環的速度，把因為情緒不佳導致身體產生的有害物質快速排除。

這個姿勢尤其適合上班族，可以假裝在休息，或是在想事情。

2-7 創造正面與積極的TTT技巧

「太陽穴敲打技巧」（Temporal Tap Technique，簡稱TTT），是應用人體動力學之父喬治．古哈特（George Goodheart）醫師所發明。

古哈特醫師指出，TTT可以被應用的範圍為：

①戒煙、戒酒、忌口
②改變衝動的習慣
③增加自信，變得更樂觀
④刺激免疫系統以對抗疾病
⑤增加新陳代謝以幫助減重
⑥幫助大腦更有效率地學習新的事物

古哈特醫師認為，當太陽穴周遭被敲打時，可以暫時停止心智過濾感覺與輸入訊息的防衛機制，而潛意識會在此時接收特定的訊息。

此外，TTT的敲打方式是三焦經的反向敲打，所以會有鎮定三焦經運作的效果。三焦經是身體的總指揮，掌管了全身的經絡。它不僅是元氣通行的道路，同時也是處理「戰或逃」反應的經絡；所以當穩定了三焦經，便能確保五臟六腑之間的相互合作、步調一致。三焦經相對也掌管了習慣與慣性。所以，我們安撫了努力保護舊有模式的神經系統後，再學習新的模式，擁有好的習慣就變得容易多了。

據說「太陽穴敲打技巧」流傳已久了，在古老的中國是使用來止痛，或是調教頑皮的小孩子。不過年代久遠，不可考就是了。

活用TTT調節左右腦

TTT是調和左右腦最好的方法之一，美國著名能量療法師堂娜・伊頓（Donna Eden）認為：在敲打太陽穴時，要把正面的字眼輸入右腦，因為右腦對正面和贊同的訊息接受度較高；而左腦比較容易懷疑和批判，所以在敲左腦時，我們輸入負面的語句。

TTT和EFT兩者最大的不同在於：EFT主要是使用在消除負面情緒，而TTT則是藉由經絡的影響，像電腦升級或程式改寫一樣來改寫神經程式，因此會影響到深層的身心靈，所以可用來加強深層的正面情緒。在太陽穴附近沿著耳朵範圍敲打，會使得神經系統穩定，讓大腦暫時終止輸入其他訊息。我們經由大腦專注休眠時輸入我們想改寫的資訊，就會使潛意識更容易接收到需要學習與改變的習慣與行為。例如，考生可以在每一次念書或考試前，先使用TTT，增強把書念好的信念。

TTT技巧
練習1

TTT的施行方法

用三根手指頭沿著右邊耳朵外圍，從前面輕敲到後面，一邊敲，一邊念出正面的期許，例如：「我今天讀書計畫效果會又快又好。」以加強正面的聲明。

又或是，一邊敲左邊耳朵外圍，一邊把正面內容用反性句型說出，例如：「我今天不會讀得又慢又糟糕。」（本質上還是一個好的設定。）

如果你是左撇子，則要用與以上相反的動作才行（但不是絕對，可以用臂力測試來看看是否適合）。

一天施行數次，可以加強大腦學習新的習慣與行為。除此之外，它還可以應用在生活的任何部分，包括工作、交友、感情、金錢、家庭、

戒菸、戒酒等，甚至還可以幫助你改掉咬指甲的壞習慣。重點是要找出你想要做出的改變，並且專注在上面，把大腦裡面運行的舊軟體「升級」後，人生自然就會跟著改變了。

注意事項：

①請精準的找出你生命中想要改變的事情。

②寫出正面肯定的想法與句子。

③開始敲打時，每一個正面想法敲至少三至五次，陳述時保持固定的節奏。

④一天可以敲打數次，但每次間隔至少三十分鐘。

當你敲得越多，改變的速度就越快。強烈建議將你想好的正面肯定句寫下來，如此可以確保每次重複唸出來的句子是一樣的。這十分重要，假如每次唸出來的都不一樣，效果可能會降低，因為大腦可能會搞不清楚你到底要它做什麼。

此外，還須注意的是：

⑤如果你的潛意識仍反對你渴求的目標，那麼請先消除負面情緒再敲打，才能建立正確的正面指令。

如何設定左腦與右腦的句型

■右腦／正向說法的句型：

專注在想要改變或得到的目標：像是改變壞習慣、戒掉不好的癮等等。

把目標用一個句子表達出來，用著平常講話的方式跟字眼即可，不需要咬文嚼字，並自問內心是否有任何部分是否定著你的目標。如果有，請確定把所有否定都釋放結束後，再進行敲打。

■左腦／反向說法的句型：

首先，創造出你的正面句型，再把正面的句子改造成反面的，但仍然需要保有你想要的正面想法。像是不要、不會、不可能等等。重點就是句子的本質依舊是正面的，例如：

正向：「我會又快又健康減重到〇〇公斤的理想

左側；左腦／反向句	右側；右腦／正向句
我不是＿＿＿＿＿＿＿＿＿＿	我是＿＿＿＿＿＿＿＿＿＿
我對於＿＿＿＿＿＿＿沒有問題	我可以自由地＿＿＿＿＿＿＿＿
有任何理由我做不到＿＿＿＿嗎？	我要＿＿＿＿＿＿＿＿
有任何理由我一定要＿＿＿＿嗎？	我可以＿＿＿＿＿＿＿＿＿＿
我有必要去（做）＿＿＿＿＿嗎？	＿＿＿＿＿＿＿對我來說超簡單
我不需要＿＿＿＿＿才會覺得安心	我對＿＿＿＿＿＿＿很在行
＿＿＿＿＿＿＿＿那不是真的嗎？	我心情會變好，當我＿＿＿＿＿時。
我並不受限制去＿＿＿＿＿＿	我值得＿＿＿＿＿＿＿＿＿
＿＿＿＿＿＿並不是我所需要的	我這樣做＿＿＿＿＿＿是沒問題的
我並不害怕去做＿＿＿＿＿＿＿	我享受＿＿＿＿＿＿＿的支持
我不會被＿＿＿＿＿＿＿所干擾	＿＿＿＿＿＿＿＿對我而言很安全
＿＿＿＿＿＿＿＿無法控制我	當我做＿＿＿＿＿＿我感到很舒適

體重。」

反向：「我不會像現在一樣那麼胖，也不會一直體重超重。」

Dr. Wang 怎麼說

敲錯邊會怎麼樣嗎？

根據唐娜·伊頓的看法，正反訊息的輸入對應，左、右腦是有差別的；而美國脊骨神經學權威醫師大衛·瓦瑟（David Walther）則是對正反訊息與左、右腦輸入的看法，恰巧與唐娜·伊頓相反；但EFT創始人羅傑·卡拉漢與EFT專家拉瑞·尼姆斯（Larry Nims）醫師則認為：訊息要如何輸入、正面思考到底要在左腦還是右腦都無所謂。

TTT技巧在眾多專家學者鑽研之下，衍生出許多不同的見解，而根據我多年的實作經驗也發現，左腦、右腦似乎沒有訊息輸入的對應差別。不過，在與能量感應較敏銳的朋友上實作TTT技巧時，朋友表示：正向句子在右側敲擊輸入訊息時，會感受到比較明顯的能量牽引。因此，本書主要採用唐娜·伊頓的訊息輸入技巧。

但，能量對應與能量敏銳度因個人體質而異，因此讀者也不必過於拘泥於此，或是擔憂如果實作TTT技巧時，敲錯會對自身有不良影響。重點在於讀者是否能透過使用TTT技巧進而改變自我，提升正向能量。

2-8 露易絲・賀幫助你愛自己的「鏡子法」

從另一個層面來說，人無論生哪種疾病，都是不夠愛自己的結果；而從心靈的角度而言，任何生活中所面臨的逆境，也都象徵你不夠愛自己。有人說：「貧窮其實只是一種精神疾病。」其實不無其深遠道理。

「愛自己」其實不是容易做到的事情。看看身邊的人就會發現，我們總是受到「先為他人著想」的思維所禁錮；當然並不是說「凡事多忍讓」這樣的想法是錯的，只是我們不可否認，當人一再忽視自己身心的基本需求，強壓渴望，勉強自我，長久下來一定會發生問題的。一昧地為別人著想，這就好比你只是把水從水桶倒出，卻不曾補充加滿，不管你的水桶有多大，遲早會把水倒光。那麼，要怎樣才能幫助自己補充水源呢？答案很簡單，就是愛自己。

愛自己的方法有很多，第一步是要接受全然的自己，並且學習寬恕自己；這包括你目前生命中的健康、體態、生活狀態，以及種種不如意等等。

當然，這樣似乎還是有點抽象，建議你不妨從「有形」的部分做起。例如：真心關懷自己的身體、多運動、調整不當的飲食習慣，或是透過喜歡的電影與音樂撫慰自己的心靈。想一想什麼事情是你真正想做，而且會讓你打從心裡感到高興的？定出目標後，留一點時間去實現它。

很多人總是會負面思考，認為自己做什麼都不夠好、不被接受、會被嫌棄，不管當初是誰建立了你這樣否定自己的創傷，建議你可以先拋開別人的想法，試著溫柔與自己對話，就像你希望別人對你更多友善、更溫柔一樣。先以這樣的態度對自己，不要急著挑毛病，重新發現自己的價值，給自己信心。

另一種方法，就是透過自我對話給自己關懷與鼓勵。

如果你不知道怎麼和自己對話、自我激勵的話，鏡子會是你的好幫手。你可以使用浴室的大鏡子，或是女生隨身攜帶的小化妝鏡。

每天早上，照一照鏡子，看看鏡子裡的那個人。看著他的眼睛，要知道，這個人比世界上任何一個人，都還要在意你、愛你。鏡子裡的自己就是你最好的朋友，也是最了解你的人，你們生死苦樂都會在一起，所以，你應該愛惜他、尊重他、保護他。

對鏡中的自己說：「我愛你，我真的真的好愛你。」

透過這個練習，可以幫助你跟分靈體重新取得連結，你的分靈體（內在小孩）一直渴望你愛他很久了，甚至從小到大都沒有人這樣對他說過。

如果一開始覺得要說「我愛你」有難度的話，可以改成：「我願意開始學習來喜歡你。」「你真的很棒。」「做得好！」等稱讚句，讓自己成為自己的啦啦隊，來支援自己，愛自己，讓自己感覺很好。

有時候也可以照鏡子問自己：「我今天可以做些什麼來讓你開心嗎？」最後，請好好的寬恕他，並且好好的愛他。記得，不管你生命中有做或沒有做什麼，你都是值得被愛的。

如果過程中察覺一些負面情緒，請使用EFT來釋放，或是用TAT清除某段記憶。如果心中仍有負面情緒，或是無法全然信賴、接受自我，正面思考的影響力就會難以彰顯；此時我們可以靈活使用TTT技巧，為自己輸入正向的意念。

這並不是一件很容易做到的事情，在露易絲．賀的「創造生命的奇蹟」課程中，她會叫每一個學生輪流到講台上照鏡子來進行這個練習。這個練習叫做「Mirror Work」，幾乎百分之九十九的人都會感到害羞與不好意思。所以請給自己多一點時間，多一點耐心，讓自己好好愛上自己吧，直到你看到鏡中的自己，你可以很開心對鏡子裡的你，說：「嘿，你好，你真的好棒，你好帥／妳好美，我真的真的好愛你。」打從心底相信自己很棒，並產生自我激勵的力量為止。

2-9 打造自己的快樂筆記本

在幫個案處理情緒平衡時，通常我都會請個案回想一些令自己快樂的事情，引導正面的情緒做輔助，這個步驟能夠幫助個案更加快速進入療癒的狀態。但是卻有很多個案跟我說：「我想不出生命中有什麼讓我感覺到是快樂的！」

有太多人在成長過程中承受著莫大的壓力，一直在不斷努力，過去也許為了學業，現在則為了事業。我們都被迫要去接受並面對殘酷的現實，不得不為了某些期許或生計向命運低頭，最後甚至失去了夢想，變成一個連自己都不喜歡的人。

很熟悉的模式吧！當我們持續煩惱並聚焦在問題上，必定會為你帶來更多的困擾，使你疲於奔命，這也是為什麼我們總是在提倡正面思考，因為這就是所謂的吸引力法則，如何正面思考、累積快樂的情緒格外重要。（當然，釋放負面情緒是先決條件。）

學習累積快樂

請買一本精美的筆記本或日記本，要很喜歡的樣式，一見到筆記本就會很開心。接著將那些令你感到開心的事情、一件一件寫進來。如果開始動筆時想不起來也沒關係，不妨將生活中的一些小確幸寫進去。

生活中有很多令人愉快的細節，像是情人的甜言蜜語、浪漫的舉動，或是和寵物之間的相處，與朋友令人發噱的聊天對白，出門時有著好天氣。當然也可以放一些美麗的風景照或全家人一起合照的照片；甚至如果你有宗教信仰，都可以把對你有正面影響的經文抄寫進這本屬於你的快樂筆記本。

這本筆記本累積了所有使你開心的元素，它是你獨一無二的快樂筆記本。當你心情低落時，就可以翻翻它，讓它提醒你曾經擁有過這些美好，可以學習感恩，更有助於轉化心情。

2-10 處理負面情緒的其他技巧

1 靜坐／打坐／冥想

靜坐，是人類幾千年來不管哪一個文化都廣為使用的紓壓方法，它可以反轉壓力，讓身體回歸到安靜舒適的狀態，進行自我修復，並且防止新的傷害產生。

當我們靜坐時，心跳與呼吸都會變慢，血壓會回復至正常值，身體可以更有效運用透過呼吸進入到肺部的氧氣，讓汗水與腎上腺素的分泌減少，減緩心理的老化速度。如此一來，不僅免疫力提升，也讓心智更清晰，提高創造力。

研究指出，長期規律靜坐的人會比別人更容易戒掉菸酒與毒品的惡習。哈佛醫學院的莎拉．拉薩爾（Sara Lazar）博士在二〇〇五年的研究指出：每天靜坐能夠增進大腦皮質的厚度，可以減緩因年齡漸長所引起的大腦衰退，讓大腦保持年輕有活力。

靜坐的優點不僅既簡單又方便，而且免費，隨

時都可以進行，更沒有副作用；然而卻是需要透過練習與耐心才能掌握竅門，對於生活步調較快的人來說，容易在靜坐時分心或被打斷，可能較難以達到靜坐的效果。

2 腹式呼吸法

有句話是這麼說的：「能夠掌控呼吸的人，就能掌控情緒！」因此，當負面情緒來襲時，我們可以反過來利用呼吸的方式來平撫我們的情緒。腹式呼吸法是指吸氣時全身要用力，讓肺部與腹部因為充滿空氣而凸起約八秒，然後屏住氣息四秒鐘；接著緩緩吐氣，吐氣過程約八秒鐘，讓腹部會因為空氣離開而凹陷後，再重新呼吸。

這樣緩慢而深入的腹式呼吸，每天約做十分鐘即可；可以消除緊張的情緒，達到深度的放鬆。雖然一開始施行會覺得很不習慣，不過稍微觀察一下嬰兒或動物，就會發現他們都是用腹式呼吸，因為這是最自然的呼吸法。

3 泡鹽水浴

鹽是人類最早發展的工業之一，據聞也是世上第一個貿易商品，更是財富的象徵。從古至今，各種不同宗教都以相當重視、神聖的態度去看待「鹽」。回教及猶太教會用鹽封住契約以代表誠信；希臘人及羅馬人則將鹽視作一種祭品及貢品；基督教、猶太教、回教、中國以及日本的宗教信仰，皆將鹽視為可以避邪驅魔的聖品。基督教的聖水、受洗禮，皆需要用鹽作為輔助品。

若是在泡熱水澡時加入粗鹽或是瀉鹽（硫化鎂），除了達到淨化放鬆的效果，還能有效舒緩肌肉的壓力與疼痛。

瀉鹽含有高量的鎂，有效幫助乳酸從肌肉中排除，達到舒緩與恢復。使用瀉鹽泡澡的方式非常簡單，只要在適溫的熱水中，倒入二至四杯瀉鹽之後，即可泡澡。每次浸泡瀉鹽浴至少二十分鐘以上，結束後再以清水沖洗身體即可。

泡瀉鹽浴時應隨時飲水以補充水分，因為泡澡會流汗，造成身體的水分流失；再準備一條濕的冷毛巾圍在脖子，不時擦洗一下臉部，以避免因體溫過高產生的不適。瀉鹽浴不可與泡澡劑、精油、香皂同時使用，因為這些添加物會改變瀉鹽浴裡的化學成分。

熱水澡有抑制的功能，如果年齡已超過五十歲，或患有心血管疾病、糖尿病的人，請注意水溫不宜過熱，且不可浸泡到心臟以上的位置。若有相關的疑問，請務必向專業的醫療人員諮詢。

4 石頭呼吸法

緩慢的深呼吸，加上石頭源自於大地的能量所帶來的穩定感，可以讓人保持平靜與放鬆，有效紓解昏睡或是宿醉後醒來的不適感，以及穩定情緒、舒緩壓力。若無法隨手取得一塊石頭，水晶類礦石一樣可以帶來安定效果。

將石頭握在肚臍下方的能量中心，一邊緩慢、穩定的深呼吸，一邊用右手覆蓋石頭，以撫觸的動作感受石頭的大地能量，感受其堅固的力量，讓心境逐漸踏實下來。本方法可搭配「腹式呼吸法」進行。

5 藍光呼吸法

許多談論身心靈療癒的書，都有提到光線與色彩對治療的助力。美國一位外科醫師凱特·包德溫（Kate W. Baldwin）就曾用過這個方法來治療病患，且治療成就顯著。

包德溫博士的著作《讓光照耀一切·全光譜色彩療法》裡曾提到：宇宙中所有的元素都有色波及功效，藍色正是代表氧，並有鎮定效果。因此，當心情不穩定、感覺壓力過大時，不妨找個可以安靜坐臥的地方，閉上眼睛，試想像自己正被天藍色的光照耀、包圍著，讓身心進入詳和放鬆的境界。本方法可搭配「腹式呼吸法」進行。

6 快速眼動療法EMDR

人的眼球運作與腦部活動有一定的關聯，假設以人臉為中心當成時鐘，眼睛是指針，那麼關於嗅覺的記憶在十二點與六點位置，聽覺是三點與九點，視覺是九點與十一點，情感則在五點與七點的位置。

美國心理治療師法藍辛・莎皮羅（Francine Shapiro）某天在公園散步時發現，眼球的轉動會舒緩不愉快的記憶所帶來的壓力。在他進行研究之後，更證實了這個方法可以有效減輕病人因創傷記憶產生的痛苦，進而發明了快速眼動療法（EMDR）。

快速眼動療法的簡易版本如下：

先把過去印象深刻的心理創傷從記憶中喚起，特別留意身體對此不良記憶的不適症狀，接著開始將眼球往右轉三次，再往左轉三次，做完請記得多喝水。

快速眼動療法在施行上可能會跟其他情緒處理方式一樣，會出現短暫的情緒釋放的好轉反應，但不需要太過於在意，請保持放鬆與心情平靜。

7 敲打心輪法

當我們受到驚嚇時，人類會本能地會把手放在胸口，或者拍拍心口，這是一種潛意識對心輪的保護動作；而人在情緒起伏時，心跳也會加速，這樣的動作也帶有安撫與自我安全感的確認。敲打心輪法就是從這樣的動作，延伸出來的安撫放鬆技巧。

心輪，就是檀中穴，位於兩乳之間的中心位置。施行方法很簡單：將拇指、食指、中指三指合併，輕輕敲打心輪位置即可。

敲打心輪除了對心肺功能及免疫系統有幫助，還可以釋放累積在心中的負面情緒與能量。把心輪的能量中心打開後，會幫助我們心胸變得更寬廣。這是一個完全不需要複雜技巧，也不需要特別引導思考或由大腦下達指令，就能達到身心放鬆的方法。

8 調音與呻吟療法

「調音」是透過自發的聲音，像是吶喊、歌唱，將體內的不適排出體外，除了緩解壓力，對區域面積較大的疼痛也具有相當大的療效。

讓自己處在一個安靜並放鬆的環境，選擇讓自身舒適的姿勢，坐、臥或站都可以，但是請讓背部保持打直的姿勢。接著，閉上眼睛感受你的疼痛（壓力）中心點，試著替它發聲——想像不適感轉化成一種能量，透過你開啟的嘴巴變成一個聲音。在保持呼吸流暢的許可前題下，讓聲幅拉得愈長愈好，直到沒有聲音，再重複。

隨著身體的不適感或壓力的減緩，你發出的聲音也會從病痛的呻吟逐漸變得更為悅耳——這是你的聲音在反映身體的能量狀況。當你身體能量增強時，你的聲音自然會變得有力而動聽。調音除了化解壓力，其實是一個很簡單可以試探身體能量，或者調整體內平衡的簡單方式。即使你並沒有明顯的疾病，但是偶爾讓自己靜下來，試著從內心深處發聲，你會發現自己的聲音正反映了內在的壓力和能量狀況——無論它是身體想發出的聲音，或者是需要被聽見的聲音。總之，透過一次次的發聲調音，你的身體會得到應有的紓壓和平衡。

另一個方式是「呻吟療法」，差別在於呻吟療法在治療上更趨向心理與內在壓力的平衡，對於一些因情緒產生的病症，或者需要保持冷靜、排解不安時，非常有效。此外，如果你因身體的疾病或外在挫折而感到疼痛與憤怒，呻吟療法也是排解怒氣和失落感的好方法。

當你進行呻吟療法時，或許你會覺得自己像個小孩子一樣，有搥拳、踢腳、摔東西或嚎啕大哭等衝動；這是正常的情緒反應，你可以試著找出兩全其美的方法，在確保自身安全，而且不影響他人的前提之下，透過運動或者其他方式用力地發一頓脾氣，對於緩解壓力與增進個人健康都有很大幫助。

9 鼓呵法

除了自然醫學的「調音」與「呻吟療法」，道家養生法之一的「鼓呵法」也是經由發聲來喧洩情緒——透過聲音的震動，來排除身體的負面能量。

施行方法是先用力吸氣，直到胸、腹部都脹滿空氣時，張口喊出「呵」的一聲時把氣體用力呼出。

這個動作可以達到去積去滿、開胸順氣，止胸痛和喘氣的良效；比起調音與呻吟療法，「鼓呵法」顯得比較強健有力。

10 穴位按摩法

人體穴道和健康保健之間的關聯，相信讀者在日常生活中都吸收了很多基本概念。而穴位按摩法則是應用了穴道與健康之間的關聯性，在壓力過大與心理疲勞時，適度按壓穴位可以達到紓解、調節壓力的效果。一般穴位與對應症狀如下：

①內關穴：疏肝解鬱、安撫激昂的情緒。

②三陰交穴：改善壓力造成的失眠。

③太衝穴：改善負面情緒如憂鬱、心情低落。

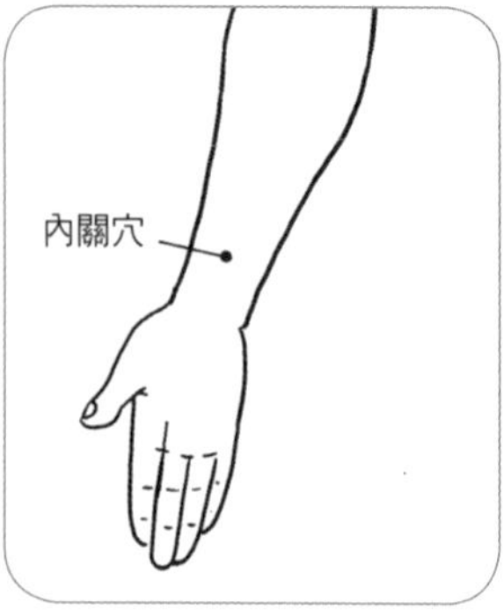

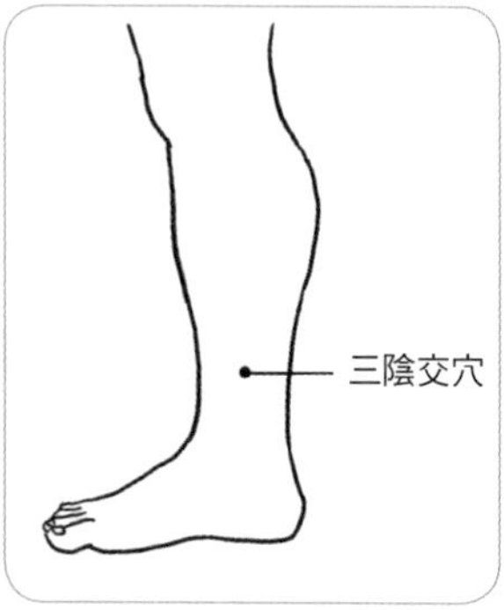

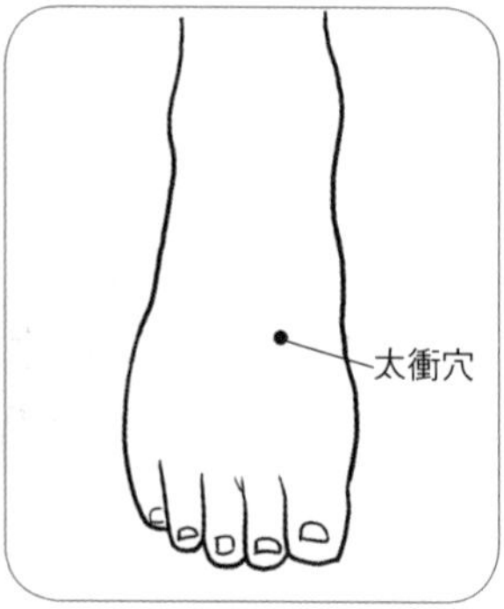

Dr. Wang 怎麼說

生命中最匱乏的會變成你的最高價值觀——玩具在生命中的角色

很多人會透過一些「療癒」的小玩具來放鬆心情，例如：柔軟的布娃娃，擺在桌上的微笑搖頭娃娃，其他像豢養寵物也是很多人轉移壓力焦點的方法；總之，透過具有「柔軟特質」與「療癒感」的商品與寵物，來撫慰內心，也是一種自我療癒的方法。不過，請記得，這種以消費的方式來療癒自身是有限度的，可別和不知喊停的購物癖混淆了。

因為每個人價值觀不同，一個不收藏玩具的人，很難理解為什麼有人會熱衷於收藏玩具？很多收藏等級的玩具售價低則要上千元，高則數萬元不等。而且，還有人搶著買？

這可能是因為在小時候體驗到「童年匱乏感」，對於玩具有著「失去」的記憶，導致於在長大後對於玩具更有「怕失去」的恐懼，而衍生出對玩具產生強烈的「擁有」及「守護」意念。此時蒐集玩具的動機就不僅是收藏，更是一份自我安慰。所以，收藏這些小東西對玩具迷而言，可說是補償失落童年的代價。

以我自己為例，在我小時候也曾因為考試成績不達父母的理想，在我面前砸爛我的模型玩具，以示懲戒；另外，親戚從國外帶回預計要送給我的玩具，也會被父母攔截，先刻意收起來，等到我表現良好或成績到達某個標準之後才會交給我。而這種「被奪取」的感受，讓我當自己有經濟能力時，第一件事就是買回在童年時期被父母丟掉、沒收、毀壞的玩具與漫畫，以補償自己失去的童年。這樣的行為，一直持續到我調整了價值觀與情緒平衡後才停止。

《時代雜誌》曾專訪過知名股票投資家華倫．巴菲特，巴菲特在專訪中笑談自己之所以會耗資兩百六十億美元購買鐵路公司的原因是：「一切都是因為小時候我爸爸沒買玩具火車給我！」

當然，巴菲特的故事也許只是個笑話，我們當然不會斷言，假設你今天不買積木給你的孩子，你的孩子長大就會成為建築師；或者你買了什麼玩具給你的孩子，就會因為太輕易滿足孩子而扼殺了孩子的天分。其實，若你已為人父母，請試著給孩子一個不匱乏的童年——這並不是要你讓孩子予取予求，而是不要用破壞夢想的方式，來教訓、懲戒你的孩子。

2-11 情緒釋放過程可能產生的情況——好轉反應

不管是使用同類療法、花精或ＥＦＴ情緒釋放技巧，都可能會因為每個人體質不同以及問題深淺，還有運動、飲食習慣等問題，而產生不同的好轉反應。

在情緒釋放時，原本累積在身體器官的負面能量會被釋放出來，有的人會暫時變得脾氣暴躁、很愛哭，或是更悲傷；也有人會夢到以前發生過的人事物，這些都是長久累積的情緒在被釋放當中所出現的反應。不過，如果與「原本性受益」以及「繼發性受益」相互牴觸時，身體會出現反撲現象，也就是原先的症狀會變得更加糟糕。

我們假設，當你原本因為疾病而得到好處（例如：感冒可以在家休養），但是當疾病要好轉時，因疾病而產生的相對好處也可能會跟著失去。這時，潛意識的防衛機制會介入，產成反撲的現象，讓症狀變得更嚴重，以維持因病得來的「好處」。

由反撲現象所引發的症狀，並不是真正的好轉反應（關於好轉反應，請詳見《自然醫學ＤＩＹ》第六章），這需要有經驗的身心靈療癒者才能清楚地做出準確的判斷，並且即時針對狀況做出修正才行。

Dr. Wang 怎麼說

是不是情緒處理好的人，就都不會生病？

身體的疾病所帶來的只是一個提醒，我們可以藉由解讀疾病給我們的訊息比照自己的情緒，找出自身是否有需要管理或修正的部分，經由情緒釋放來達到身心靈間的平衡。

情緒釋放並不會讓你沒有情緒，也不會有造成智力損壞或導致失憶等等的「副作用」，影響到人體的健康。讀懂來自身體的訊息，再透過使用情緒平衡的技巧，不僅可以快速恢復身心靈健康，同時也避免我們以錯誤的情緒發洩方式傷害到別人。

另外，情緒釋放是比較偏向「處理問題源頭」的方法，最主要的目的是為了不讓負面情緒殘留所產生的生理變化，非急症的應對。因此，如果你面臨的情況是骨頭斷掉，這時不管怎麼做ＥＦＴ或是使用急救花精，也無法使骨頭瞬間自動接合，頂多能透過ＥＦＴ來緩解意外造成的受創感覺與不悅情緒。所以，像這樣的狀況仍然要求助急診與外科，並不能全部依賴情緒處理的療癒力。

2-12 健康食品補充建議

雖然說壓力大時我們會吃不健康的食品，但是透過健康飲食所攝取的養分，當然也會對情緒的調節有幫助。現代人生活忙碌，不容易攝取到均衡的營養，因此我給壓力大的朋友們，附上簡單的健康食品補充建議（見下頁圖表）：

補充品	用途	注意事項
維他命B群	抗壓、保肝、增加肝功能、集中注意力	太晚吃可能會讓精神變好而睡不著
維他命B12	幫助新陳代謝與情緒穩定	太晚吃可能會讓精神變好而睡不著
維他命C	紓緩壓力、補充腎上腺素的生成	最好使用粉狀或液狀。若能直接吃水果補充效果最好
維他命E	幫助類固醇與性賀爾蒙的生成、血管疏張、大腦氧化物的排除、減緩血小板凝結。整體來說，對心血管、免疫力、眼睛、細胞和皮膚都相當有幫助	每天不要超過1000mg 有心血管疾病病史的人請不要服用
砷	幫助肝臟排毒	每天不要超過400mg
鋅	幫助免疫系統，傷口修復，肝腎細胞再生	
鎂	身體每日運作的關鍵礦物質、幫助肌肉放鬆	晚餐後與睡前各服用300mg的鎂可幫助身體放鬆，更容易入眠
DHA	對於中樞神經的健康、眼睛的保養、神經系統的修復都很重要	最好是飯後服用，否則膽汁來不及乳化DHA，會導致拉肚子、拉油
L-酪氨酸（L-tyrosine)	增加專注力、腦力，以及神經訊息的傳導，維持整體的神經內分泌	憂鬱症或吃抗憂鬱症藥物者請勿服用
β-胡蘿蔔素	抗氧化劑，能增強免疫系統、降低罹癌機率。口服的β-胡蘿蔔素會在體內自然轉換成維他命A，比單獨服用維他命A安全	
葉黃素＋花青素	眼睛的保養	
微量元素+水分	幫助電解質的平衡	
酵素和益生菌	幫助消化與吸收、維持健康腸道功能	建議至少要有三種益生菌與酵素，輪替使用

ch3 打造身心靈健康的人生

3-0 虛無飄渺的靈

本書探討了許多關於「情緒」、「身體」及「心理」的健康關係；但是完整來說，其實身心必須還要與「靈」合一，才能達到最全面的療癒。然而，什麼是「靈」？

從東方的宗教角度與大眾認知來看，「靈」指的是神、仙、佛、鬼、靈魂，以及玄學命理到風水、符法等五術都歸類在「靈」的範疇；從西方及《聖經》為中心教義的思想而言，「靈」指的不外乎是人與神，或是人與上帝之間的關聯橋樑。

從自然醫學身心靈的角度來說，任何不是可以被物理接觸到的部分就屬於心與靈的範疇。要處理靈方面的問題，只能透過身體上的療法，像是觸碰、調整姿勢、教導肌肉動作、能量療法，或是透過動態的精神療癒法（語言引導、角色扮演、故事敘述等）進而掌管情緒的右腦：因為右腦比左腦更「接近」身體、心理及自律神經系統。

從臨床，或是以實際可觸及並有操作價值的角度來看，我認為「靈」指的就是人的「思想」、「潛意識」、「價值觀」與「信念系統」。一般而言，年紀越小，對「靈」的層次感知就越是單純。這是因為小孩缺乏成人所擁有的人生經驗，信念與價值觀尚未定型，相對之下身心靈的狀態卻更為純粹與敏銳。

西藏密宗有「降神」儀式，西藏稱降神為「降智真言」，也就是台灣的「降乩」。西藏正統降神儀式必須以小孩來作為聽取神諭的媒介，因為小孩天真無邪，尚不知人情事故，故身心靈狀態較為純粹、敏銳，在沒有受到污染的情況下，說出來的會是真話。相反的，人往往年紀越大，就會被長期以來的價值觀與信念所束縛越久，所以會比較固執，離靈就越遠，也就越難覺知到自己的內在問題。像是許多長輩們都喜歡說：「我吃過的鹽比你吃過的米還要多。」這就是一個思想僵硬的象徵；而思想僵硬，也會反映到長輩容易有身體肌肉僵硬的症狀。

另外，我們也可以把靈的部分視為「能量」。愛因斯坦在相對論裡認為能量和物質是可以互換的；而所有的物質，在拆解（原子、質子、中子、電子）到最後，都只會是光子與訊息的存在而已。而能影響場域（field）變化的，則是我們的意圖。

靈，也可以是宇宙意識，或是母體（matrix）。史丹佛大學名譽教授威廉·提勒博士提到：「既然每一個我們達成目的的方法應用，都是一個創造的行為，終究會告訴我們如何適當、有效並且實際創造。最後也會在我們的感知世界中以某些類型的事件清楚呈現。」換句話說，信念創造我們的物質實像。如果能夠進到母體，可以在瞬間改變現實。《無量之網》的作者桂格·布萊登也曾影像記錄在三分鐘內用意念消除膀胱腫瘤的過程。但是，這部分牽涉到許多艱深且不易實際操作的量子物理概念，我本身開發出的「量子深層意識轉化」則屬於這方面的高階運用，但本書仍以一般大眾較能實際接觸到的情緒來作為改變的切入點。

3-1 心與靈沒有實體，問題都是由身體顯現

在章節 1-5 我們已經討論過信念是如何形成的，這邊再來簡單複習一下。當你緊張的時候，胃可能會不舒服，西醫可能開胃藥給你；但自然醫學則認為，必須釐清問題根源，這根源有兩個層級：第一個，胃不舒服是什麼情緒（緊張）？第二，你為什麼在這時候會有這個緊張的情緒？

情緒緊張是心理層次，靈是思想層次；而思想創造你的情緒，情緒才造就了你的緊張。那麼思想的問題是怎麼來的呢？其實所有的問題都是從小到大你所認為的理想與現實兩者相互衝突所引起的，換句話說，是信念與價值觀的認知上出了問題。但是每個人的信念與價值觀根深蒂固，初學者不容易掌握箇中訣竅，因此，情緒排毒是一個簡易入門又容易看見效果的方法。

身心靈給人的印象，往往是神祕且難以捉摸，因此，在本章我會與各位分享多年從事身心靈的臨床經驗以來，個案幾乎都會想要探討的心靈層面問題，希望能幫助讀者更認識自己，解決情緒問題的根源，而達到身心靈平衡。

病不會好，是因為疾病帶來了「好處」？

從小到大我們應該都有這樣的經驗——只要因為感冒或其他不適，就可以請假不必去上學或上班；而且在童年時期，往往也會在生病的時候得到父母特別的關愛；又或是長輩生病的時候，會得到許多平常不會出現的家人來關心。這些都是「因為疾病帶來好處」常見的例子。

所以，我們可以這麼說，生病其實是有「好處」的。從主流醫學的角度來看，當身心出現衝突的時候，我們內在的自我防衛機制會啟動，這個防衛機制可以分為幾種：否定作用、壓抑作用、轉化作用。

其中「轉化作用」是我們需要注意的部分，也是當身體因為心理因素，所出現的疾病症狀。當身體產生無法解釋的疾病或精神狀況時，主流醫學大多把它們歸類到「解離症」或是「轉化症」。心理學把這種「因病產生的好處」，稱之為「原本性受益（primary gain）」或是「繼發性受益（secondary gain）」。

「原本性受益」來自心理內在的推動：當一個人可能會因為無法做某件事情或達到某個目標而感到罪惡時，如果他有醫療上的症狀作為輔助理由，他會因為有了「正當理由」而心理感受覺得好過一點。例如：一個目睹兇殺案的人想逃離回憶裡的慘狀，無法從負面情緒中解套，可能會突然沒來由地產生失明或失憶等疾病。這就是「轉化症」，而轉化症可能形成各種疾病。

與原本性受益不同的「繼發性受益」，其兩者之間差別在於：繼發性受益是由外來因素所造成。例如：若是患有某種疾病能使他人對自身引發同情感，就可以不用工作或是不用去坐牢，這些就屬於「繼發性受益」。但是患者究竟明不明白自己的不適感與疾病到底是不是真正的「疾病」呢？他或許知道，也或許不知道。畢竟有時「繼發性受益」會是潛意識或是次人格所衍生出來的現象。

基本上，「原本性受益」是心理自我防衛機制所啟動的保護本能，比較難處理的是「繼發性受益」，它除了是一種渴望關懷的呻吟，也可以解讀成求救訊號的吶喊；不過「繼發性受益」不等於裝病，這兩者仍有差別。裝病是刻意製造的行為，也未必會有實際病兆。

另外，病情一直好不了的原因，還有一個可能——出自對於治療的不信任與抗拒；不管是對醫師、療方或是藥物本身。一個患者若是對治療抱持錯誤觀點，例如：想追求立竿見影的效果、喜歡四處亂投醫、被強迫前來治療、被逼迫從事某種治療方式，其實都會影響治療的效果。

因此，信賴關係也會是影響身心健康的一個要點，無論你是相信治療本身或相信自己會好起來。基督教說「信我者得永生」，佛教則說「信解行證」，東西方兩大宗教的入門都是由「信任」開始。所以，信賴與健康兩者之間的關係，可以說是非常重要，是一切關係得以發展的基石。

療癒之路，如何做到身心靈的完美搭配？

從身心靈的角度來說，療癒的要訣在於——如何讓病人自我察覺。當個案了解自己可以不必藉由疾病這種痛苦的方式，來表達或壓抑自己心中的不愉快，並且把負面的情緒以及信念釋放掉，就是屬於心與靈層級的療癒。

自然醫學在全人治病的概念中，有一組黃金三角：平衡情緒、排除毒素、提升免疫力。自然醫學強調，除非是性命攸關的急症，否則一定要處理心與靈上的問題，而不是治標不治本，先處理身體，反而會產生重複生病的情況。這就像是假設我們將牆壁上的壁癌刮除後，選擇直接刷上新油漆，暫時性的看不見就好；不處理根深蒂固的問題——幫水泥牆隔絕「水」這個最主要的媒介物質，那麼壁癌就會無止境地一再復發。

當「心靈」的問題根源截斷，接下來處理身體方面已經形成的症狀——不管是吃西藥或是健康食品、復健、針灸、整脊等等，才能做到短時間看到一定程度的療效。

以我本身而言，處理心靈健康所使用的是洽談諮詢、EFT、催眠、花精、同類療法、量子深層意識轉化等方式；身體部分則偏重於撥恩技巧加上使用同類療法，有時也會搭配健康食品。這是我個人的喜好及擅用的方式，而每個自然醫學醫師都有自己的特性與專長，只要能夠平衡好個案身心靈的問題就可以，其實並沒有標準答案。

自然醫學可以說是一門非常靈活的醫學。可是，「人」除了是一個不能分割的完整個體，更不能忽略其心與靈的部分。所以不管自然醫學再怎麼多元性，都不能偏離自然醫學的六大原則中，最重要的「身心靈全人治療」原則。倘若當你遇見一位並不是同時處理身心靈的自然醫學醫師，那麼他或許是一名「綠色對抗療法醫師」。（關於「綠色對抗療法醫師」的詳細解釋，請見《自然醫學ＤＩＹ》七十六至七十八頁。）

Dr. Wang 怎麼說

所有疾病都來自壓力與情緒嗎？

露易絲．賀在她的著作《創造生命的奇蹟》提到：「每個人對生命的語言與態度，都可以導致疾病的產生與消弭。」

露易絲．賀本人透過擁有的天賦——直覺力，發現到疾病與身體之間的關聯性。她還曾透過與自己身體對話的方式，治癒了自己的子宮頸癌。

一直到了二〇〇四年，美國肯德基大學臨床心理學教授蘇珊．史格斯壯（Suzanne Segerstrom）博士與加拿大英屬不列顛哥倫比亞大學的臨床心理學教授葛列格．密勒博士（Greg Miller）聯合發表了「所有疾病都來自壓力」的研究。

兩位博士終於指出了長期以來完全被主流醫學所漠視的區塊：「越長期的壓力，越會使免疫系統無法正常運作，進而導致疾病。」

德國醫師瑞克．基爾得．黑默（Ryke Geerd Hamer）所研究的「德國新醫學」（German New

Medicine）則是從形而上的角度，來看待身與心之間的關聯。

每一個器官或組織，甚至細胞，在身體都扮演著特定的角色；當不同的壓力產生時，會有某些器官或組織，與細胞首當其衝在應對。這就像使用硬幣分類機一樣，一把硬幣丟到機器裡會被自動分類——身體為了對應不同的壓力，會有著不同的器官或組織來負責應對。

黑默醫師認為：「當一個人經歷某種壓力時，最適合處理此壓力的器官會被派出來應對。」就連大腦的各個不同結構也會隨著情緒改變，和身體各部位相互對應著，就像腳底按摩一樣。這跟中醫的理論不謀而合。而被影響的器官儲存著壓力能量所引起的情緒時，只要日後當情緒發生，器官與大腦也會產生對應的連結，這一切都已經透過電腦斷層掃描證實。

吸引力法則始祖亞伯拉罕也曾說過：「許多人並不了解，當他們在抱怨時，他們停止了身體功能的正常運行。他們不了解在他們抱怨自己身體不舒服之前，他們早就在抱怨很多其他的事情。不管你抱怨的是什麼，抱怨就是抱怨，抱怨會阻礙身體的修復及人生的成長。」

從上述論點我們可以得知：「會對健康造成不良影響的諸多情緒，或者介入的外力，無非都是對人體產生不同程度與形式的壓力（例如：發生車禍，無論對人的肉體或心智都會造成傷害）。」因此，人體健康與大腦、情緒三者之間環環相扣，而所謂的壓力不過是任何會造成疾病與負面影響的一個廣泛用語罷了。

3-2 何謂內在小孩與分靈體？

從精神療法的觀點來說，當人經歷創傷時，一部分的自我會與本體分離，並且阻隔創傷記憶，藉此自我保護；但是，創傷記憶只是被隱藏在潛意識角落，並沒有消失。而這一份因創傷而與本體分離、並守護著創傷記憶的能量體，就被通稱為「內在小孩」。

「內在小孩」在不同的派別下有不同的名稱，為傳統心理學用來表示一個人精神或靈魂裡面「類小孩」的部分。這個名詞經常被用來說明一個人童年主觀的經驗，或是因為孩童期的經驗影響到成長以後的思想行為。所以，「內在小孩」也被用來代表從小累積在大腦的記憶、情緒與經歷。

知名心理學家榮格把這稱為「神性小孩」，而「靈魂碎片」、「真我」與「神奇小孩」也是內在小孩的另一個稱呼；但多數身心靈療癒者還是稱之為「內在小孩」。

從量子物理學的角度來看，我們的思維是存在或是「被儲存」於「母體（matrix）」，又稱「能量場」（field 或 subspace）。內在小孩並不是一個實際的存在體，也不存在於人體內，因此它的正確名稱應該是「分別存在於母體的過去自我意識靈性能量投射體」。我簡化稱之為「分靈體」。

「內在小孩」一詞隱喻著問題永遠存在於過去，但這會讓人忽略了當下與未來。所以我提出更可以為此本質正名的名詞「分靈體」。在我研發的「量子深層意識轉化」中，我們可以透過分靈體本身的「未來記憶」功能，讓原本只存在過去的內在小孩可以開外掛解禁，穿梭過去到未來，大幅增加心想事成的成功率。

分靈體並不是一個新的概念，我們時時刻刻都會被過去的自己所影響、牽引，有時候，我們會對一再重蹈覆轍的事件和壓力感到無力，卻又無法抵抗，這是因為分靈體的存在所造成的影響。分靈體的作用就是把創傷的傷害跟我們隔離開來，這是一個自我保護機制。所以當一個人過去所經歷的創傷越多，他的分靈體也就會越多。分靈體就像是過去時間被凍結的我們，擁有著創傷事件發生時我們的思考跟信念。我們可以把每一個分靈體想成是每一次被儲存在雲端的電腦備份資料來看待，每次我們遇到壓力時，我們會搜尋過去的備份資料來幫助我們，讓我們不要受到傷害。

有時候，我們會發現在某種情況下或跟某人相處時，自己的表現會顯得像個小孩，無論是表情或舉止可能都是更年輕的自己，也許是五歲或九歲；不過根據社會學家莫里思·馬西的理論而言，一般來說不會超過十三歲。

因此，你可能會易怒、耍賴、愛哭，執拗於某些點，就像耍脾氣的小孩。這就是潛意識裡的內在小孩正在運作。我相信正在閱讀本書的讀者，年齡絕對大於十三歲，但是我們回頭想想，當你情緒不穩的時候，你的行為舉止像不像是個心智年齡不超過十三歲的小孩在指揮呢？

觸動分靈體的契機，可以是聲音，可以是別人口中的字眼，甚至於一個眼神、動作、味道、觸覺，都有可能觸動潛意識的警報，把我們過去受創的分靈體們喚醒。那一瞬間，你的身體可能充滿許多潛意識為了保護我們所激起的能量，並不單純是憤怒或哀傷那麼簡單，而有可能排山倒海，成為「萌生」你另一面的動力——這樣的情況，也就是「人格分裂」，所謂與自己原本想法、言行相去甚遠的「次人格」。

嚴重的人格分裂會導致「多重人格」，這是能量太強大的分靈體把當下的意識心智給強制取代的結果。醫學文獻上曾有這樣的紀錄：病人出現A人格時身上會有疣，而A人格消失後，疣也跟著消失；而當B人格出現時，病人會有糖尿病，可是再轉換到另一個人格，病徵就不存在了。所以我們可以清楚知道，分靈體不存在於肉體，而是存在母體的能量場上，就像是雲端備份，你隨時都可以下載過去（甚至是未來）的資料到你當下的大腦，因此才能由內而外去影響身體的多重生理變化。

「人格分裂」是一個比較極端的比喻，事實上，「製造分靈體」這樣的情形，每天都在發生。當我們有著沒處理好的創傷時，分靈體就會為了保護我們，而把創傷的記憶儲存起來，但是，他們也只能儲存一部分，隨著時間的累積，創傷往往也會不斷累積。你一定很熟悉，無論是工作或人際關係裡，總是充滿「又來了！我又搞砸了！」的例子；而這些曾讓你心裡不快、不安、難受的「感覺」，都是創傷。

當創傷經驗不斷堆積，我們需要花費更多的能量來維持分靈體，以防止我們的情緒失控。你或許會發現，年紀越大的人越容易受到過去創傷的影響，反覆談論著過往的不愉快，身體也漸漸越糟糕。這就是我們用能量來餵養分靈體的結果。

有些心理療癒師認為，除非我們和自身的內在小孩重新連結，否則內在小孩會一直處於孤獨的狀態；而且，除了連結，更要教化、擁抱內在小孩，好讓他能走出受傷的處境。

可是，分靈體或是大家口中的內在小孩，需要的未必是愛與擁抱；從「吸引力法則」的角度來看，「不好」只會招致更多「不好」。因此，當你擁有越多過去受創的分靈體，你會吸引更多同樣的創傷事件。不管你如何正向思考，只要分靈體仍然跟你有連結，他就會為了保護你而扯後腿。

所以，在完整的療癒過程中，分靈體除了被好好對待、被擁抱，最後還是必須要被釋放掉，讓它回歸母體，才不會繼續影響我們。

Dr. Wang
怎麼說

十三歲之後，我們如何改變？

前文中提到的：「人會受制於十三歲以前的經歷表現。」相信很多讀者為其感到困惑，簡單而言可以用一句話解釋：「江山易改，本性難移。」這句話裡所指的「本性」，便是因成長時期我們所接觸了人、事、物而養成出來的核心信念與價值觀。

所以，你會發現當長大以後，雖然有些想法、習慣會經由成長而有所調整，但是卻對於很多事情的觀點、做法，有著一份出於本能的堅持，這可能就是你十三歲之前奠定的價值基礎。

社會學家莫里思．馬西的研究指出：「人的中心價值觀約在一個人十三歲前養成。」因此，很少人在十三歲後會做出人生的重大改變，除非經歷過『重大情感事件』。例如：重症疾病、意外、親人或伴侶生離死別等等。

舉例來說，就像是一個原本不愛吃蔬果而且菸癮大的人，或許會在發現自己罹癌之後，開始偏好生機飲食、決定戒菸；這無非是因為「重大的情感事件」，而導致當事人跳脫原我所決定的方向或策略。

總之，一般人就是會需要在生命中出現一個「夠痛」的教訓，才會開始轉變方向；然而，所轉變的方向是對或錯，就又是另一回事了。

3-3 創造自己的神蹟

相信你一定看過或聽過一些宗教治療的「神蹟」，或者在聽到有人處於不安、疾病時，信教者齊心禱告，祈求病患能早日康復。確實有些案例會在祝禱下漸有好轉，而撇開超自然力量不談，禱告其實就是一種「信念之力」的聚集，會帶給病患對抗疾病的信念與力量，也是一種因信念改變、情緒平衡所達到的治療效果。只是當事人正向思考的引力，從「相信自己可以康復」變成了「相信神可以拯救自己」。

基督教與天主教有禱告儀式；禪宗會經由「參」來達到頓悟的境界；佛教淨土宗經由一心不亂的唸佛，以求得日後往生時阿彌陀佛會現身接引；而佛教密宗藉由觀想、咒語、手印，把自己身口意（身心靈）調整到與本尊相同的頻率，再藉由靜坐而進入三摩地，就會與本尊相應（瑜伽）。以上各種宗教都有著與神溝通的獨家方式，而民間常見的燒香拜佛其實也是一種。

其實它們都是不同形式的「吸引力法則」，雖然方法不一樣，但核心意念仍在於調整自己的頻率，讓心智與潛意識合而為一，並使內在的神性力量得以發揮，應許或成就你所祈求的一切。所以，我們可以說「神蹟」是自己創造出來的，只是藉由神明當作信念上的「著力點」。但自始至終你所得的成就，主要還是你的信念影響行動，行動創造成果。

因此，不管相信或不相信神明的存在，或許最重要的是先相信自己。正如名言所說：「天助自助者。」你渴望的療癒或其他成就，並不會憑空發生，我們不希望因為自身的信念或努力不夠，以致所求不得回應，於是自欺欺人，將這一切撇為是天意所為，把信仰做為只是你不肯承認失敗、不肯面對現實的一種逃避。

Dr. Wang 怎麼說

正信的宗教與健康

不同的風土民情，不同的歷史以及生活背景，也因此衍生出許多不同的宗教；一般人比較廣為熟悉的宗教有：佛教、道教、天主教、基督教等等。

前文提及了宗教對治療與健康的影響，但是更令人困擾的是，不同宗教之間因為教義的不同而充滿了很多衝突與矛盾。原本應該引人向善的宗教，卻常常為了彼此訴求的不同，而引起爭議，甚至觸發戰爭。而其實宗教之間不該有衝突，應互相了解與接納不同意見，畢竟宗教的差別只是「遊戲規則」有所不同，沒有孰是孰非的道理。

以代表東方的佛教與代表西方的基督教為例。兩群孩子在同一個公園裡（地球），其一者玩的是捉迷藏（佛教），另一者玩的是一二三木頭人（基督教），兩邊的遊戲規則大不相同，但兩邊的小朋友各自都玩得很開心。直到一個玩木頭人的小朋友，跑到玩捉迷藏的遊戲群裡，不懂得對方玩的是不同的遊戲型態，以為同樣是在玩木頭人遊戲，因為看見了不同的遊戲規則，百思不解後便本能認為：「這樣玩是錯的！」其實就是這麼簡單，並沒有誰對誰錯。

真的要講分別，我認為也許是教義程度和深度的分別而已。釋迦牟尼佛說法四十九年才涅盤，而耶穌基督只傳道了三年就被釘上十字架；佛教的經典有三藏十二部，天主教、基督教就只有一本《聖經》，而且有關耶穌還只占了其中一部分。假設耶穌活得更久，或許提出的釋道更多，兩個宗教的教義會更相近也說不定。

所以，宗教並沒有什麼好相互比較，也不該有地位高低之差異，只要是勸人向善，不偷機摸狗，不騙財騙色的，都是好的宗教。只有在懷抱正確的宗教信仰下，才會有正道的神與佛來補強世間醫學目前對「靈」方面治療上的不足。

至於該玩捉迷藏、木頭人，還是老鷹抓小雞，沒有人可以給你絕對的說法，只要你能玩得開心，從中得到樂趣與收穫就好。

Dr. Wang 怎麼說

拜拜與禱告為何無效呢？

有學生問我這樣的問題：「如果依照老師課堂上教的，一切問題都在自己身上，那麼拜拜到底有沒有用？」

首先，我們要了解神明是怎麼來的。在遠古的時代，當人們看到不了解的事物，像是雷電，因為恐懼與敬畏的關係，便出現了雷神。因為打雷而引起火之後，便出現了火神。於是所有大自然的萬物都出現了神明。

人們對於大自然的問題比較有了解與控制之後，隨著人口變多，相對的人跟人的問題也就變多了。人類開始把身邊恐懼的人投射出去，所以有了玉皇大帝（絕對的父權）、瑤池金母（絕對的母權）、閻羅王（對於司法的無奈衍生出的死後絕對制裁）、觀世音菩薩（對於自己內在苦惱不能被聽見的恐懼而出現的寄託）、華佗（對醫療失望而盼望有神醫再世）、財神（害怕窮困而希望有無限富足）、虛空藏菩薩／文殊師利菩薩（害怕愚蠢所以希望有無量智慧）、阿彌陀佛（害怕死後下地獄所以希望有人接引到西方極樂）、愛染明王（希望得到愛情）、不空成就佛（害怕願望落空）等等。

仔細去觀察可以發現，沒有一尊神明的存在不是基於對「恐懼」的投射而產生的。而因為長久以來，人類對於特定神明的恐懼以及希望所產生的集體意識，就決定了神明與信仰的強弱，便是所謂「香火越鼎盛就越靈驗」。

而到近代人對於無形神明的失望，也導致了許多的活佛、無上師、上人等等的出現。

而要探討拜拜究竟有沒有效呢？這要探討的是拜拜的人內在的本身。

每個疾病背後都是有好處的。例如：老人家生病，其背後的好處就是可以得到子女的關懷。在這個時候，老人家會寧願身體不要好起來，也要選擇得到子女的關愛。當有一天，這位老人家去拜拜，祈求身體健康。假定神明真的可以幫助他的話，你覺得神明會答應他這個請求，還是他內在真正的請求呢？

所以我才說，其實修行並不是什麼求神拜佛，要修的是自己的內心，當你不知道你真的想要什麼的時候，問題會很大條，因為你總是會把力量交予別人身上，不管是神佛或是活佛上人都好。

其實神佛只是一個強大累積的信念系統，你透過認知祂們的存在，來幫助你加強你內在真實的願望而已。只要你沒把力量取回來，自己沒有主控權的話，那麼你沒有主控的部分，就會自然而然交給別人（或是其他外力）去控制了。

真的要跟神明祈求什麼之前，如果能先搞清楚自己真的想要什麼，幫助會大很多。

3-4 上癮也是一種病

一個人產生情緒壓力，並且激起人體對某一種事物的渴望與衝動，這就算是一種「上癮」的症狀。無論是暴食症、購物狂，或者對於咖啡、菸酒上癮，都在反映出人內在的不滿足。例如：很多有肥胖問題的人會靠吃東西來消弭自己的不安全感，從其中獲得滿足與愛。這或許因為在他的成長經驗裡，父母會以吃東西來作為給他的獎賞。因此，對當事人來說，「吃」就是一種愛與獎勵的象徵，當他缺乏愛，食物就是最好的安慰。

說穿了，其實「上癮」就是一種，當你覺得你目前的人生與價值觀不符時，身心反差時所做的補償現象。

但是，談到上癮的深層情緒，卻代表的是「止自我疼痛，卻破壞快樂」的壓抑，處於麻痺悲傷，卻又嫌惡自我。不只攻擊自己的心，也對外界感到無助、生氣與憤怒，更無處可宣洩。

這樣的情緒可以回溯到口腔期，上癮者可能曾經被母親拒絕，甚至或許母親在懷孕期間累積了負面情緒；再或者是上癮者小時候並沒有感覺到自己被疼愛。這些都會在長大之後以一種口腔上的滿足來反應對母愛的渴望。

不同類的癮頭，代表不同訊息

我家附近有一攤鹽酥雞，我不常吃油炸食物，總覺得像鹽酥雞這類油膩的食物，天天都吃的話，應該要先練成鐵胃才行吧！所以某次閒聊時好奇心充斥，讓我終於開口問了老闆一句：「有沒有人會天天來買？」沒想到，老闆很得意的回答我：「有喔，而且還很多人呢！」

其實，我們從身心靈的角度來看，吃速食或大量油炸物、甜食的人，多半覺得自己遭「孤立」，覺得自己與周遭人群是隔離的，因此希望藉由垃圾食物來滿足情緒上的空虛。或者，當自己無法達成設定的目標時，也會選擇以垃圾食物來逃避外界。

我有一位朋友是在準備聯考的時候，開始習慣吃垃圾食物；還有一位個案是平常不吃油炸物，但只要在生活中感到情緒不穩，就會買炸雞來吃。

除了嗜吃鹽酥雞、雞排外，還有部分人則是特別喜歡到速食店解決三餐。

根據一項對美國學童的調查發現，九十六％的學童認得麥當勞叔叔。艾瑞克・西洛瑟就曾在他的著作《速食共和國》中，探討麥當勞相較於其他速食業更成功的原因。

麥當勞裡面有著其他速食店沒有設置的遊樂區，這一點是它成功的關鍵。許多孩子在小時候，受到電視廣告吸引，加上許多父母把吃速食當成一種犒賞孩子的行為，教導孩子只要自己乖了，就可以到好吃又好玩的麥當勞去！

當消費者自小就對該場所產生好感，長大之後成為父母，仍會帶著小孩去同一家速食店，成為一種循環。也難怪九十六％的小朋友都跟麥當勞叔叔是好朋友了。

速食，代表一種廉價的補償

愛吃垃圾食物的人，多半在家庭環境中也有索取「廉價補償」的習慣。這樣的人在家裡不管提出任何的需求或想法，都很容易遭到拒絕，想要什麼都得不到，或者被反對，所以他們必須做些事情，讓自己有個防禦或逃避。

在童年經驗裡，父母可能曾用過垃圾食物滿足他們——儘管這樣的愛，品質並不好，但速食這種既方便又快速的食物，卻可以讓他們有「即刻擁有愛」的感受。然而，孩子透過速食滿足的這種快速又廉價的愛，並非能夠真正獲得營養；等到短暫的滿足感消失後，當事人只好透過補充更多速食來找回愛的感受，因此成為一個對速食上癮的人。

嗜吃速食的人往往覺得「別人都比自己好」，這不會只是單純的比較心態，後續更會延伸成為一種對他人給予的愛產生不信任，最後只相信自己，並且只認同自己透過物質或食物所得到的「愛的滿足」。

除了補償心態，吃垃圾食物的另一個作用就是為了確認生存感。速食最早原是美國的打工族為了省時間，或是卡車司機為了方便長途開車，所衍生出來的飲食文化；一個人、一份托盤與食物，可以很方便地以單手就食，這是一種很快速、孤獨的用餐狀態，彷彿被隔離在無形的框界之中。

但是，進食畢竟是會帶來滿足感，因此吃速食或多或少會帶來「即便處境不好，仍可以得到滿足」的安慰；這也是為什麼會有人在不順遂時，會想買一堆垃圾食物，一個人躲起來慢慢吃。除了速食及油炸物，「可樂」也有同樣的意義。嗜可樂者一樣有著感到被隔離的情緒，與「主流文化」格格不入，也沒有融入的耐性。所以我們可以發現，即使可口可樂銷售量在大多數國家的軟性飲料市場已經處於領導地位，但仍然花費大量的廣告費用來行銷，就是因為其背後潛藏著被主流文化隔離的隱憂，必須努力確保自己現有的龍頭寶座。

總之，和垃圾食物產生連結的人，內心深處都有需要被人群接受的渴望。若你身邊有嗜吃垃圾食物，或者平常不碰，某天卻突然想吃的人，這表示他可能處於一種「無法達成目標」的困擾，或者有不被接受的失落。這時候，不妨多對他付出一點關心。

人會藉由菸酒自我逃避

菸癮和酒癮很類似，都是一種自我毀滅和逃避的心理，因此有菸癮、酒癮的人，最重要的內在問題就是不肯面對現實。例如：面臨人生瓶頸時，容易藉酒澆愁，在當下的情緒就是一種拒絕，會有「我什麼都不想知道，什麼都不想碰」的心理，試圖封鎖自我的心態。

另一種對菸酒上癮的人，原因則來自於被嚴重壓抑的憤怒。

我曾遇過一位穿著頗有品味的王先生，但與他聊天沒幾句就會聽見他對別人尖銳的批評，完全打壞了他外表給人的好印象，難怪大家都將王先生形容成即將爆發的火山，似乎全人類都對不起他。

經過深談之後，才得知原來王先生來自一個十分嚴格的家庭。從小，他的想法經常被否定，只要他不乖就會被憤怒的父母怒罵、體罰。

所有外在所遇的人、事，最終都會成為內心自我的投射。在惡意相向的家庭環境中長大，使得王先生眼裡所見的都是惡意，認為周遭的人都對他不好，所以脾氣越來越糟；白天上班時，只要情緒一來就抽菸；下班後，酒杯不離手當作是一種發洩。卻不知道光靠抽菸和喝酒是無法真正排解負面情緒，這些沒有熄滅的怒火，讓王先生總會對女友暴力相向，所以王先生的戀情總是持續不了太久。

除了用花精與情緒釋放協助王先生，我也告訴他：「無論抽菸或酗酒，都只是一種短暫的逃避，問題並沒有真正得到解決。負面情緒只會引來更多的不順心，除非你不再逃避，決定面對問題。」

由此可知，「上癮」不只是一種補償心態，也是需要被正視與治療的身心疾病，絕對不應該以「習以為常」的心態去看待。

3-5 扯後腿的小惡魔——重複模式與負面信念

層出不窮的家暴事件近年來一直是社會關心的話題，除了反映現代人壓力大，且不懂得如何釋放壓力之外，也隱藏了一個特殊的現象：許多「被家暴者」（尤其是婦女）為何往往無法脫離施暴者？即使向法院申請了保護令，受害者卻仍會回到施暴者的身邊。

或許，當事人沒有獨立生活的經濟能力，這會是讓他受制的原因。但是，從身心靈的角度來看，更不妙的是受害者對施暴者已經產生了一種「習慣」，習慣受虐的分靈體誤把「熟悉」視為一種安全感。換句話說，即是反覆出現的暴力相對讓當事人習以為常，甚至視之為「正常」。

「重複模式」始因錯誤的安全感

即使受害者明明清楚知道應該離開施暴者，潛意識卻會因為不知道沒有家暴的生活是什麼樣子，反而會對那樣未知的生活產生更大的不安全感，因此產生了「不如待在熟悉（被家暴）的環境比較有利」的錯誤判斷。反覆出現的暴力讓當事人習以為常，甚至視之為正常。

假設如果有一天當事人能脫離原本的施暴者，下一個對象往往仍會是一個有暴力傾向的人；而這種「重複模式」就是潛意識中的分靈體所造成的。由此可見，潛意識的力量有多強大，人們種種戒不掉的惡習，或難以突破的瓶頸，都是由此而來。

另外像是感情方面，明知道目前交往的對象條件很不好，相處上種種習慣也不契合，甚至還會劈腿。即使身邊還有更優秀的追求者，但卻因為「習慣」而不敢跨越出去。或者，選擇了一個條件低於自己的男生，往往是因為內心自卑於無法駕馭條件更好的男性，寧可選擇「雖然不優秀，但比較有安全感」的對象。

有些人會在經歷過較多段感情，或者累積人生經驗之後，才發現身邊的人並不是自己想要的，決定大膽開創新的人生；也有人一輩子屈就在不滿意的感情生活，過得自怨自艾。這個困擾著現代男女的問題，都可以回歸到一個重點：你到底能不能分辨由潛意識帶來的制約？以及，這樣的制約，對你到底是真的有幫助，還是小惡魔在假好心？

個性，來自潛意識

這其實也就是「個性決定命運」那句話的概念。華人喜歡求神問卜，西方人喜歡星象塔羅，但不管是命理師或占卜師，往往只會告訴客人，在某一個時機點，生命中可能會發生什麼事件；可是大家都只做了「好準喔」的讚嘆之後，當事情發生時，卻沒有做出改變或去尋求如何改變，這一切都是潛意識的保護機制使然。

個性，就是潛意識長久以來所建立的信念模式。潛意識與分辨是非並無關聯，它只是發出一些出自於「保護當事人」的指令；即便這樣的指令對我們未必是有幫助的。例如：我們小時候都會被父母勸阻說不要玩火，但是卻要直到自己真的被火燒傷，我們才會真正學習到火是很危險的。這個被受傷的記憶會形成潛意識的保護機制，讓人下次看到火就知道不要靠近，以免再次被火燒傷。

所以，潛意識的決定是出自於一種愛，如果你曾經經歷過火災或是被火嚴重燒傷，潛意識可能會出現矯枉過正的狀況，你可能會怕火怕到家裡不敢設置廚房。

大部分的心理療癒師會認為：「只要擁有強大的正面思考，就能覆蓋負面情緒。」但是如此一來，所有的情緒跟思考都會一直存在。除非你把負面情緒釋放掉，否則它只是變成一個分靈體，並且在條件適當的時候跳出來，成為扯後腿的小惡魔。

本書所提的EFT情緒釋放技巧，特別的地方就在於：「你必須要能認知，並且面對接受你的負面情緒。」唯有如此，才能把它從潛意識的深處給排除掉。一味地逃避是錯誤的行為，只會更壓抑它。

《聖經》上說：「你們必曉得真理，真理必叫你們得以自由。」（〈約翰福音〉第八章第三十二節）。真理的英文是「truth」，也有事實、真實的意思。佛教也教導大家，所謂「開悟成佛」的目的，就是要脫離六道輪迴。從我的角度來看，一次的轉世就是一個大的輪迴，而重蹈覆轍的模式，則是人生中無數的小輪迴。試想，如果連小輪迴都無法做到放下與脫離，那又要如何修行來解脫、來脫離輪迴呢？

所以，若你無法修正自己的信念與情緒，就很容易會陷入重複模式，讓自己一再體驗那些傷害——無論是遭受家暴，或者遇到劈腿成癖的人。假設能夠從人生中的小輪迴跳脫，慢慢地也就離跳脫大輪迴不遠了。

開悟成佛，或者改變命運、創新人生，其實就是這麼簡單。

面對心中不存在的小惡魔

如果把負面情緒與信念說得更具體一點，它就像是卡通裡常見的：當人物角色在猶豫不決時，身邊會有一個小惡魔在耳語、搞破壞。這個小惡魔其實真的存在於我們的潛意識，它就是帶著「負面信念」的分靈體。

在人的深層潛意識中，都會有一個參考點讓我們「把事情做不好」，這個信念是因為我們認為世界並不完美，會有這樣的觀點未必是人格與個性上的缺失，而是我們經由種種經驗學習到的程式。

潛意識會這麼做，如前文所說的，也許是出自於保護與協助，因為對潛意識來說，「不要做到」或許是較為安全的選擇。舉個例子說明，我有個朋友一直沒辦法瘦下來，或者應該說是她很難堅定她要減肥的信念。後來探討之下發現，在她最瘦的時候曾經歷了畢生難忘、被劈腿的遭遇。因此，這個背叛的創傷成了一個潛意識的保護基準，當她開始想要變瘦、試著減肥時，潛意識就會連結到被背叛的創傷經驗，阻斷她的瘦身念頭或減肥定力。

而且更大的問題在於，我們聽了潛意識的話，沒有做到那些期許後，理性的那一面會開始批判和詛咒自己，加深自責感、自我嫌惡感與批判、疏離感、罪惡感，甚至羞恥感等等。

這也可以解釋某些挫折下的低潮，或是很難戒掉的惡習與癮頭。為了突破這樣的情況，療癒期往往會拉得很長，常常覺得無法從憂鬱中走出，事情永遠做得不對，生命一直走在錯誤的方向，並且充滿無力感，超級負面思考；身體上則是一直覺得很疲勞，怎麼睡都睡不飽。

在這樣的當下，我們往往不知道生命到底哪邊出了問題，感覺就像是能量出錯了，內心很多衝突與矛盾，潛意識與心智在交戰。因為我們看不到潛意識的部分，最後往往只能責怪自己：「我沒有意志力、我是懶鬼、我缺乏動力」，或是責怪別人：「我會胖是因為遺傳」、「我人生失敗，是因為生長在窮困的家庭」等等。我們會把自己跟別人當成犧牲者與敵人，覺得世界上的所有一切都在與你作對。

但是，其實心中這些小惡魔只是你過去的分靈體。因為恐懼與害怕，而選擇把在過往記憶中曾經使你安全生存下來的經驗再度上演而已，這又回歸到對不確定的「改變未知」沒有信心的問題。

所以，閱讀至此你應該就能明白，這一切都是假象，都只是來自潛意識的恐懼、負面信念、過去不好的經驗，還有創傷。現代量子物理學家尼爾斯．波爾和海森堡提出的「哥本哈根詮釋」（Copenhagen Interpretation）中也指出：「一切的外在事物都是出自於你內在的顯化，所以沒有客觀實相這一回事。」〈約翰福音〉第十章第三十節也說：「我與父原是一體。」文中的「父」指的就是我們內在的神性，也就是我們的深層潛意識。由此可知，人的潛意識的確包容了一切的好與壞。

所以，扯後腿的小惡魔（分靈體）就是潛意識為了保護我們的大愛，它會再三出現在生命中。如果不希望再被它扯後腿，就要學會懂得對自己負起責任，發現它、認知它、接受它，直到釋放它後，讓心智與潛意識合一，不再衝突為止。

3-6 意外、小孩、寵物，都是你的鏡子

孩童在十三歲以前，身體的症狀常常是在反應父母之間的問題。例如：一個有氣喘的孩子，可能成長於充滿爭吵的環境或常常目睹父母之間的爭執。

孩童在六歲的學習力與吸收力非常旺盛，他們會記憶處境與當下的感受，卻不見得懂得表達想法及分辨是非。因此，在十三歲人格定型以前，許多孩童的疾病問題或許可以從父母身上來探討。

有些父母很在乎自己的健康，定期排毒、吃保健食品、練氣功、做運動，就是希望能百病不侵，但卻疏忽情緒上的大漏洞。當身體因為「太健康」而無法讓堆積的情緒找到出口的時候，一種是藉由意外事件反應，另一種則是透過小孩來彰顯父母的問題所在。

據我所觀察到，即使是意外所受傷的部位，從身心靈的角度來看，也是恰如其分地傳達出身體想要訴說的訊息。

舉例來說：新生兒常見的黃疸問題，根據露易絲．賀在《身體調癒的訊息》一書的說法是：「內在和外在的偏見、錯亂不平衡的思考。」

試問：對於一個剛出生的小嬰兒而言，怎麼可能擁有這樣的情緒呢？當然是在反映父母情

緒上的問題。

沒有生育小孩的人，寵物會取代這樣情緒反應的角色。很多人都說，寵物的個性會跟主人很像，其實一點都沒有錯。我曾經有過一個個案，一位老太太在路邊撿到一隻流浪的吉娃娃，老太太非常喜歡這隻小狗，可卻沒想到，將吉娃娃帶回家後發現牠有癲癇的症狀。一開始一週發作一次，到後來每天發作，讓這位老太太心痛極了，她無法忍受每天看到心愛的寵物承受如此痛苦，因此前來向我求助，希望能用EFT來平緩她的情緒。

癲癇背後的情緒意義是被壓迫感、拒絕生活、很大的掙扎感、自我暴力行為以及離家出走。因此我詳細詢問了她童年的一些狀況，是否有離家出走的事件？

老太太告訴我，在她小時候父母經營農場，她童年時曾有過一頭小牛當寵物；她和小牛的感情很好，小牛很聰明靈巧，在她的訓練之下甚至學會了和她玩捉迷藏。但是某年的聖誕節，她下課回家後，就再也找不到小牛了，直到她看到晚餐桌上的的牛排聖誕大餐才恍然大悟。從此，她對父母充滿了怨恨，並在十幾歲時，找到機會便離家出走。

經過仔細分析，並處理了她的情緒之後，漸漸地，吉娃娃的癲癇竟然逐漸好轉了。這麼久的癥結，一直到白髮蒼蒼的年紀，才藉由吉娃娃的出現被喚醒。多年的抑鬱得到釋放，不僅老太太得到了療癒，也同時療癒了吉娃娃，這是一個多麼神奇的個案！

我也曾遇過這樣的案例：有一位小朋友據說是某位大修行者轉世，因此從小就拒絕葷食，發願要出家。但是作為父母的人，捨不得孩子出家，更不願意配合孩子一起吃素，除了行動阻撓以外，還以言語百般洗腦，極力避免他走向出家一途。這位小朋友後來就莫名出現了癲癇的症狀。

所以，書前的你若是為人父母，或者有飼養寵物，不妨多多觀察他們的行為舉止，或許你會發現意想不到的訊息。

3-7 數位時代的科技依賴症候群

電話、視訊、飛機、高鐵等高科技產品，一再努力縮短人與人之間的距離，可是今時今日的高速時代，雖然讓人的生活更便利多元，但是心與心之間卻沒有同步拉近，讓人與人之間的疏離感加重。疏離感所帶來的無非是孤獨、不安、覺得不被需要等負面情緒，憂鬱症和許多因為人際關係失調所引起的病症，在數位時代不但變多了，而且漸漸成為主流。

我們不能說這一切是數位時代的錯，而應該說，這個時代背景，讓一些有人際、情緒、壓力種種困擾的人，找到了一個可以著力與躲藏的世界。這些耽溺於網路世界的人，到底是因為過少與人實際互動，而在與人相處上變得不熟悉，還是在現實生活中找不到立足點，才躲進虛擬世界？我想這是值得大家深思的問題。

如果你問過一個沉迷網路生活的人，他們喜愛網路的理由，所得到的答案或許是因為夠自由、有隱藏在螢幕之後的安全感，或者在虛擬世界比現實生活讓他更有成就感等等（打怪練功比找工作容易，破關後的成就感高於來自工作的獲得）。

這些問題是怎麼造成的？當事人的原生家庭對待與教育孩子的態度，間接對他的人際關係造成影響；或者因為疏於關切與認同，讓當事人覺得想躲藏、想「變成另一個人」的心境，都會是促使他們投入網路世界的動力。

智慧型手機上癮症背後的情緒

有些人看待手機的態度只是視為工具，電話沒有接到或手機忘記帶就算了。不過對於某部分手機重度使用者而言，只要手機不在身邊，沒事不滑它一下的話，就會感到恐慌與焦慮，全身不自在。之所以會有這樣的反應，始因於四種情緒：

1 希望更有自主權

這樣的心態會讓當事人渴望作主的自由，而手機可以由自身決定是否接聽、要不要回電、回訊息，掌握它就形同掌握了主權。這可能是出身於高壓家庭之下的人，潛意識對父母掌控權與權威的反抗。

2 渴求良好的人際關係

這樣的人在成長過程中，或許有與他人格格不入、被遺棄的負面感受，而在這個時代，手機代表了人與人之間的聯繫。一個渴望人際關係更好、能有更多互動的人，自然不會放過任何與人聯繫的管道與機會，手機就是最便捷也最重要的一種。例如，身在異鄉的學子就可能會產生對手機依賴的情況，畢竟人生地不熟所衍生出的不安全感，自然會促使他分外在意這個與親友聯絡的唯一管道：手機。

3 對資訊的掌控欲

由於此類型的手機依賴者是源自於對資訊的掌控欲，希望隨時都能「跟得上」這個世界，不落於他人之後。因此，他們的交友範圍往往很廣泛，且大部分都是來自父母權威很重的家庭。不過，他們跟「希望更有自主權」這一類人最大的差異則在於：他們或許不會被否定，卻難以確定自己的價值與影響力。

4 把手機作為情緒發洩的管道

手機不離手、聊天與訊息傳不停的人，某種程度上是透過這些手機功能來發洩情緒。無論他講或打字的內容是什麼，不說出口、不談論一下就覺得渾身不舒服。這其實是一種潛意識為自己發聲，希望得到重視的行為反應。

花錢，是想買東西，還是想找方向？

很多人稱這個年代，是個「物欲橫流」的時代，無論男生或女生，有許多人都是因為消費而感受到存在的意義。女生會對衣服、包包與鞋子上癮，而男生則會執著於３Ｃ商品或汽車等物品。

然而，有意思的是，車子會改款、３Ｃ產品總是一直在推陳出新，怎麼買都買不完，就算買了也總會想要更好的，但是為什麼大家仍然不停掏出錢來？

像我就曾經發現，跟男性友人出去用餐時，大家坐定後，總是把手機、錢包與車鑰匙往桌上擺。有趣之處在於：「男人不把這些東西放在包包或口袋裡，而是擺出來。」或許是想藉此展示自己的身家實力與品味，但是，這卻可能是因為自我缺乏，才會想透過自我展示來獲得肯定。

我身邊也有一位不想接管家裡事業的朋友，總覺得人生沒有什麼目標，也認為自己沒有什麼長處與優點，唯一的興趣就是玩車、買手機和換筆電。我想，可能只有在追逐這些東西的同時，他才能感覺到自己擁有掌控力，可以駕馭事情，並且感受到優越感。

另外，還有一些經濟能力普通，卻執著要刷卡買名牌，藉此營造「我是有錢人」、「我付得起」的假象的人，其實他們只是在透過名牌，反應出內心的空虛。這些人大多是因為自己沒有方向，隨波逐流，將「大家都買」的 LV、GUGGI 當成目標，或只是想透過消費精品，來肯定自己「配得上昂貴的東西」。

這些「因為不滿足，所以透過花錢而得到滿足」的行為，都是心靈上的警訊。如果沒辦法正視這一點，找出適切的解決之道，縱使家財萬貫也不夠用。更糟的是，如果為此欠下一屁股債，更會覺得人生失去希望，不僅是惡性循環，也是對自己身心靈的傷害。這些人除了需要情緒釋放以外，更應該檢視自己的信念與價值觀，只要自己的人生符合了自己的價值觀，那麼就不容易被這些外來的因素所誘惑。

3-8

鬼打牆的追根究柢

佛教《百喻經》有這樣的一則故事：

有一名中箭者生命垂危，親人把他帶到醫生面前請求救治，沒想到中箭者竟然說：「等等！我不要拔除這支箭，除非我知道射箭的人是何姓何名？名字是長是短？膚色是黑還是白？是王族還是婆羅門？商人還是平民？還有，這支箭是從東南西北那一個方向射來的？」

接著，他又說：「我不要取出毒箭，除非我知道這弓是用什麼材料製成的？弦用什麼動物的筋綁成的？弓柄的材料是什麼木頭製成的？箭尾的羽毛又是屬於哪種禽鳥？箭頭是以何物製成？這支箭的製造者的姓名、住處……」

可想而知，這個愚癡的人執著於虛無的問題而不行動，最後不但得不到答案，連性命也賠上了。

我想藉由這則故事告訴讀者，回溯不一定不好，卻也未必有必要。就像有人喜歡探討因果與前世，希望透過種種方式去解讀今生的命運，為自己帶來心理上的安慰；可是研讀了很多前世回溯的案例後，我發現由回溯而得到的前世問題，其實跟當下人生問題的主題是差不多的。

電影《蝴蝶效應》的男主角不斷經由想回到過去，想改變自己的人生，但總是越改越糟糕。其實真要回溯的話會沒完沒了的，而且追根究柢到最後，可能會發現生命中最大的錯誤，就是自己誕生於這個世界上，而這又是何必呢？

佛陀講了這個「毒箭喻」的目的，是要告訴弟子們：「當你活在當下時，你只有一種感受，就是身體的感受，但卻不會出現心裡的煩惱。這就好比你已身中第一支毒箭，卻不會再被自己思考所發出的第二支毒箭所傷。因此，回歸到人本，我們還是應該將心力放在面對眼前的問題，活在當下，才能活出生命的意義，彰顯生命的價值。」

每個人的人生都想要避免創傷與挫折，但卻不能只停留在後悔、渴望人生可以重來的思維中；畢竟每一段生活經驗，都有它存在的必要與意義，重點是你是否能夠知道，當下你所面對的困境與挑戰要帶給你什麼樣的訊息。昨天已是昨天，不如就讓它過去，讓內心做好徹底的大掃除，以迎接更美好的明天。

3-9 生命的痛苦，是神性最大的愛

最近有一個學生問我：「王老師，你看起來年紀沒很大，也沒結過婚，為什麼你會達到你現在的境界，有著我到處都找不到的答案？」

我的回答是這樣的：我們有涉獵身心靈資訊的朋友都知道，『回歸本源或是神性』是走上這條路的最終目標（技術上來說，「回歸」並不是正確的字眼）。

換句話說，我們每個人的潛意識中，都默默有著要「回家」的渴望與念頭。然而，不是每個來到這個世界的人都會想起回家這件事，於是，本源或神性，就負起提醒我們的責任。

本源要如何提醒我們？我們在生命中會遇到種種身心的災難、創傷，這些災難與創傷會對我們人生帶來極大的痛苦，讓我們不得不去尋求解脫之道，於是慢慢地，每個人或多或少會開始接觸心靈或宗教相關的知識，希望能夠讓自己過得快樂一點。

因此，本源的提醒，基本上與年齡、經歷一點關係都沒有。本源能加諸在我們身上的提醒，是到處可見的。

沒有一個人逃得過神性的提醒與呼喚

或許你可能會覺得，神性何必用這麼極端的手段來提醒你？但是，人性本來就犯賤，不痛的話，你會醒、會放下嗎？

佛教把這樣的過程稱為「四聖諦」，也就是「苦集滅道」。簡單來說，就是：「了解到有苦，才會想要解脫，才能走上解脫之道。」

今天，即使我沒有結婚、沒有小孩，在過往的人生歷程中，本源仍然會在不同方面讓我感受到種種的痛苦，促使我在身心靈上力求解脫，跟隨了許多不同的老師，終於來到今天這樣的結果。

不要認為本源真是殘酷，當你「偏離」（其實你根本不可能偏離）了本源，那才是真正最殘酷的。本源無時無刻都在溫柔地提醒你，這是最大的愛。所以，當你感受到痛苦的時候，千萬不要悲傷、不要難過。只要清楚知道，這是自己「偏離」了本源所得到的一個提醒罷了。

當你真正了解到什麼是「回歸」到本源時，那種時時都處在當下的平靜與快樂，是沒有辦法用言語所形容的。

本源的神性，是如此平等地愛著世上每個人，時時刻刻都與你同在。每一次痛苦，就是一個提醒、一個轉機、一個愛。只是你能否開放自己的心，來接納那個神性的愛而已。

ch 4 疾病，是你的情緒地圖

4-0 了解來自身體的請求

我們常說：「心病還需心藥醫。」但是，透過心藥治療之前，最重要的就是要找出心病，也就是情緒的起因。

為了讓讀者能更快認識情緒與疾病的關聯性，本章特別以「從頭到腳」的解說方式，方便大家能以器官部位，快速查到相關的疾病訊息，並且了解到情緒與疾病的關聯。

建立正確的觀念很重要，小病痛與老毛病是許多人在面對疾病的盲點，若你也常常被腰痠背痛、頭痛、胃痙攣所苦，更該留意本章的內容，正視這些疾病背後要告訴你的情緒警訊。

真實的案例會幫助讀者了解更多健康與情緒的關聯。文中所列舉「名人小診堂」的部分，是以網路、新聞媒體等報導的資訊來推敲身心靈的關聯性。要先說明的是，此部分內容的目的在於舉例讓讀者深入了解疾病與情緒的關聯性，並非百分之百的病因斷言。因此，希望讀者不要過分放大「名人」的部分，而應該把重點放在認識自我，以及療癒自我的核心意義。

4-1 生命靈魂的源起——頭部、顏面及五官疾病訊息解析

健康，應該是從頭到腳；解析身體的訊息，自然得從頭部開始。因為頭部裡有發號施令的大腦在裡面，這裡可說是身體最重要的一部分，同時也是一個人掌控肢體、與外界溝通的總司令。

頭部有大腦、眼、耳、鼻、口，所以人才能學習這個世界，並且分享、傳遞想法，頭部健康和疾病訊息的重要性，想必一定是數一數二。尤其你會發現，當科技愈來愈進步，人類透過各種方式尋求庇護、促進健康的結果，就是讓疾病從身體轉移到頭部。

舉例來說，相信大家或多或少都會有頭痛、近視等困擾，又或者你我身邊至少都會有人「心靈感冒」了，也就是有憂鬱症。

請不要忽略頭痛或鼻塞這樣的小細節，不是凡事都是感冒病毒的錯，有時候這些輕微的小病症，就是身體對你不良的生活態度所產生的警訊。

■關於頭部與疾病訊息

頭部與大腦是人體的精神能量中心，也最容易與情緒產生聯結。

因此當我們產生難以排解的負面情緒時，往往會引起頭痛、頭暈等問題。

◆頭痛：情緒上的波動，尤其是負面情緒的影響力更強大；壓力與緊張也會造成頭痛，或者自覺失敗與沒信心。

◆偏頭痛：訊息過多難以消化；計畫挫敗的負面情緒；失去了主導權。

◆頭皮屑：內心的陳舊思想需要代謝與拋棄。

◆禿頭（掉髮）：過度焦慮、緊張，對人生過程感到不信任、難以掌握。

關於臉部與疾病訊息

內在自我的展現，也許無法改變天生五官的樣貌，但是心性上的自我調適與情緒排毒能力，都會影響我們的臉給人的感覺，故有「相由心生」的說法。臉也和認同感以及內在力量有關，因此，人或多或少都會怕「丟臉」。

◆粉刺：潛在的怒氣與不滿；對人際關係的渴望與不安。

◆臉部紅疹：消極的態度與自我挑剔。

◆顏面神經痲痺：過度壓抑情感與脾氣；自我嫌惡。

關於眼睛與疾病訊息

眼睛是靈魂之窗，用來表現情感與認識世界。

當一個人並不喜歡眼前所見的世界時，眼睛就容易出現毛病。

◆眼淚：洗滌心靈，內在情緒釋放。

◆近視眼：心裡的恐懼讓人變得退縮，不想或不願意正視事物。

◆遠視：對眼前近況產生不信賴，天真以為放開當下就能逃避一切。

◆青光眼：對事物的憤怒與不願接受。

◆眼睛癢：不想面對的事情，令人想不斷從眼前拂去。

◆黃斑部病變：從小想看的東西被家裡禁止，可是忍不住想看的壓抑。

◆眼睛發炎：對於看到的東西感到憤怒與煩躁，往往源自於覺得自己不值得。

關於耳朵與疾病訊息

耳朵是接收訊息的器官，不好的或令人排斥的內容與聲音，我們都會不想聽。所以，重聽有時是建立在心靈上，一種「拒絕」的意味，而未必是物理或生物性的病變，導致聽力減弱。

◆耳聾、聽力減弱：不想聆聽、拒絕接受；不希望被打擾，自我意識過高。

◆耳朵發炎：把來自外界的訊息都排除在外，不想聽從。

關於鼻子與疾病訊息

鼻子讓我們可以呼吸，以延續生命。

一旦事情不順遂或迷失焦點、令人失望時，我們有時會透過鼻水直流的感冒，來表達內心的哭泣，同時也替自己爭取休息的空間。

◆鼻竇炎：思考溝通上出現困擾與衝突、堆積的負面情緒（憤怒）。

◆鼻塞：逃避生命與現況，不喜歡面對挫折；生命走到轉捩點。

◆流鼻血：正在經歷潛意識中的重大情緒創傷；渴望被愛、被關注而引起別人的注意。

關於口腔與疾病訊息

嘴巴可以接受（吞嚥），也能拒絕（嘔吐）；可以表示親密的動作（親吻），也富有攻擊能力（咬人）；如此多元的嘴巴，會真實的表達我們的情緒與渴望。

◆結巴：不夠自我肯定，對表達有恐懼與障礙；走不出強勢父母的陰影。

◆口臭：試圖與人保持距離；憤怒的想法。

◆嘴唇：無法表達內心真正的想法，或是過度在意別人的看法。

關於牙齒與疾病訊息

牙齒是口腔裡的柵欄與防護，咀嚼則帶有分析事物的意味。

◆蛀牙：區別事物的判斷力減弱、脆弱的展現；也帶有因不滿而產生自我侵蝕的意義。

◆咬牙與磨牙：未得宣洩的憤怒與不滿，會在晚上睡覺時表達出來。

關於舌頭與疾病訊息

人類透過舌頭能夠品嚐到食物的美味，對感官滿足來說是不可缺乏的重要器官。

當舌頭出現問題時，往往會有以下的狀況：

1.「我不應該」：過分貪圖享受的罪惡感，覺得自己不值得享受當下的任何快樂（不是只有吃）時產生的矛盾。

2.「一切都是我的錯」：如果原生家庭從小經常要讓小孩負起很多責任，但是有問題時就全部怪罪到他身上時（尤其是從小孩嘴巴說出的話），會反映在舌頭。基本上就是禍從口出。

3.不再感到快樂：因為對正面能量的拒絕，導致他們阻斷了生命中的快樂。

名人小診堂

人不該被打分數——林志玲

有「第一名模」之稱的林志玲，二〇〇七年她前往中國拍攝電影「赤壁」時，曾因為在北京電影學院惡補演技，被沙塵滿布的天氣引發嚴重皮膚過敏。就新聞的角度，肇事原因可以被認定是氣候作祟或水土不服；不過，如果從情緒與疾病的觀點來看，過敏的人往往有「覺得自己不夠好」的壓力。尤其發生在臉上，更反映了一種「不想被看見」的消極與自我挑剔。

對應到林志玲初次躍上大銀幕時，中、港、台三地的媒體無不以放大鏡檢視她的表現，正好形成了一種深怕自己不被肯定的不安全感。當然也許有人會說，過敏可能是從小就有的病症。不過試想看看：如果你是一個跟林志玲一樣，從小就外貌出眾、品學兼優，在嚴厲家教下長大，不斷被要求要有好表現的孩子，你會不會有「覺得自己不夠好」的壓力呢？

另外，林志玲也曾因墜馬導致左胸肋骨受傷，恰好也對應了肋骨受傷的疾病訊息——非常缺乏安全感、對自己的生活無法控制、深怕不能達到別人的期許。如此的事件分析下來，其實正是那兩句表面上是廣告台詞，卻又可能是林志玲內心告白的話：「不要再給我打分數！」、「誰知道，你們會愛我多久？」

4-2 需要暢通的轉運點——頸部疾病訊息解析

頸部是很多人容易忽略的一個地方，但是它是我們人體第一個轉運點，連結了身體與心智（頭腦），而且所有吃、喝與呼吸，都需要透過頸部傳遞。

頸部本身連結了頭部與身體，其中又包含了氣管、食道、聲帶等人體維生的重要器官，雖然有高度的可動性，但是卻又不像手臂可以延伸與探索。因此頸部與喉嚨的問題，通常都會有一個「無法逃脫」、「控制」與「固執」的主題存在。

喉嚨與頸部常扮演「吞嚥」的角色，是食物進入體內與消化的第一道門，但是，從這裡進入與被消化的東西，不一定都只是單純的飲食，有時候當我們試著接納別人所說的話、想法、資訊，也是一種「吞嚥」的行為。

有一句話用來比喻令人感到不服的情況，是「嚥不下這一口氣」，由此可知，我們的頸部其實也承擔了許多情緒；不滿的時候，我們會「忍氣吞聲」，開心時，我們會放聲歌唱，這一切都是透過頸部與喉嚨表達。

因此，我們可以知道：「當頸部與喉嚨出現問題時，必然會與情緒和表達有所關聯；當我們的情感與想法受到不當的壓抑或傷害時，喉嚨就可能產生問題。」

而外在環境的變化，也會影響我們的喉部健康。

這裡所指的並不是像天氣轉涼後、忘了披掛圍巾出門、導致脖子著涼這麼單純，而是回歸到童年時光的家庭狀況來探討：如果你誕生在一個滿是爭吵的家庭，對孩童來說，這些負面的情緒與能量，都會引起他質疑自己的生存意義，會懷疑「我是否該活在這裡？」、「我的出生是不是個錯誤？」於是這樣的情緒會產生呼吸相關的病變，例如支氣管炎。

關於頸部、喉嚨與疾病訊息

- 頸部僵硬：不懂得變通，沒有站在別人立場去思考與切入；過於緊繃。
- 落枕或脖子僵硬：頑固，不想接受新的想法或建議。（廣東話形容一個人很頑固時，使用「硬頸」二字，真是傳神。）
- 喉嚨的病變：無法表達自我、被壓抑，因不滿而言行消極。
- 咳嗽：表達自我、尋求肯定的欲望。
- 打噴嚏：對未來有所憧憬與幻想，可是現實正在崩毀中。
- 扁桃腺腫脹：需要沒有被滿足，無法表達出真實的想法。
- 支氣管炎：家庭氣氛不良、充滿爭吵；被逼迫保持沉默與安靜。
- 氣喘病：令人窒息的愛，或者受到壓抑的情感；嬰兒產生氣喘，則代表對生命感到恐懼。

◆呼吸相關病變：害怕生命、失去生存權。

◆換氣過度症：不信任生命、恐懼於改變。

◆打呼：無法釋放過去的模式，經常卡在對過去的悔恨以及對未來的恐懼。

4-3 無形的重擔——肩膀疾病訊息解析

肩膀僵硬或痠痛，幾乎是每一個上班族或勞動工作者都曾面臨的毛病。但是你有沒有發現，你的肩膀用遍各種藥劑貼布，或是頻頻換枕頭、泡熱水澡甚至按摩做SPA，卻遲遲不見好轉？或者只有結束按摩療程的當下，你感到放鬆舒緩，但隔天起床，尤其當你回到工作崗位，惱人的痠痛又陰魂不散糾纏而來。

這個時候，也許你該問問自己：

「我最近是否對於身負的責任（事業或家庭），感到疲憊不堪且壓力過大？」

肩膀，常常是責任的象徵，如同大家耳熟能詳的文句：「一肩挑起責任（家庭）的重擔。」我們背起背包、書包或提袋時，肩膀也確實做到了「承擔」與「扛起」的工作。因此，肩膀本身既有「負荷」的功能與意義，可想而知它在疾病象徵的隱喻上，就是攸關個人責任與壓力。

另外，肩膀也在表達情感上扮演重要的角色，例如當我們對一個人有好感或愛慕時，通常會把肩膀傾向對方，而聳肩的動作是世界共通「不知如何是好」或「不贊同（但未必反對）、不想涉入」的消極肢體語言。

關於肩膀與疾病訊息

◆肩膀緊繃與僵硬：代表自我壓抑與無法抵抗的壓力、逆來順受。
◆肩膀下塌（駝背）：內疚感；負擔過重或面臨生命困境。
◆肩膀不自覺聳起：因為恐懼與焦慮，而時時陷入一種自我防備狀態。
◆肩膀後推造成的不自然挺胸：虛張聲勢背後的不安與脆弱。
◆肩膀骨折或骨頭相關問題：事與願違；事實與理想產生衝突，進而帶動的負面情緒與能量。

除了肩膀疾病所反映的訊息，左右對稱的人體也會因病痛發生點的不同，帶有不同的含意：

◆右肩：身為男性者的自我價值低落；與父系族親（或職場主管）之間的衝突、工作與事業上不順遂；生活重擔與人際關係不圓滿等等。
◆左肩：過分追求生育力、外貌等女性的特質或消極態度；母系族親所帶來的壓力與矛盾衝突，對應人際上的敏銳度、表達能力，或者開創力。

綜觀以上訊息，我們一般以為太操勞或睡不好造成的肩膀問題，其實都可以更深一層對應在生活其他細節。下次當你的肩膀產生病痛，在拿起撒隆巴斯或痠痛藥酒前，你該注意，這其實是你的身體在提醒你，應該先解決那些造成我們不愉快卻未曾正視的負面情緒。

名人小診堂

面臨瓶頸的台灣之光——王建民

王建民因為肩傷復發不得不開刀的新聞，引起所有愛戴他的球迷嘩然。當然，我們應該尊重西醫在運動傷害的診斷專業；只是若對應到自然醫學的觀點，其實建仔更該被深層根治的，應該是他在球場生涯上的不安情緒。

一個離鄉背井、萬眾矚目的明星投手，必然堆積了許多來自親友與球迷的期望，以及自我的要求與期許。然而，當賽事結果不如理想，無非影響了健仔的前途，於是來自自我、球隊、媒體與輿論的種種壓力，都成為堆塞在右肩膀的一股負能量，並且以舊傷復發的方式表現出來。

除此之外，建仔腳部的舊傷偶有發作的情況，另外象徵了去向茫然、困境無法突破。

名人也是平凡人，甚至因為生活在聚光燈底下，遠比我們更容易壓抑自我、堆積情緒，產生令人煩惱的病症。我們所接觸關於王建民的事，大多來自於媒體新聞，但是除了風光面與重大消息，我們看不到的是私下的建仔。就像你我一樣，免不了會對人生產生迷惘，或事業面臨瓶頸。

病症反應煩惱，煩惱會因為身體不適更加劇，這無非告訴我們，想要中止這樣的惡性循環，治病真的要從心治起。

4-4 與世界的接觸點——手部、上臂疾病訊息解析

在人類學會說話之前，我們就懂得用雙手探索世界。換言之，雙手是人類溝通、表達自我的第一項工具。無論是傳達愛意的擁抱、撫觸，或者表示憤怒與威嚇的揮拳到自我保護等等動作，都可以透過雙手，精準傳遞我們想表達的訊息。

上肢通常被我們統稱為「手」，不過，一隻手其實還包括了下列細節部位：上手臂、手肘、前手臂、手腕、手掌部分等，不同的部位，其實仍有細微的象徵差異。

■ 關於上手臂與疾病訊息

上手臂常用於展現力量，像是大力水手卜派或者健美先生，總是會展現上臂肌肉，來宣示自己的強悍勇猛。

如果你有一雙強健的手臂，正面的看法是它象徵了你能量滿盈。

◆ 手臂過於細瘦或受傷：退縮的態度、對生命帶有一份不情願；擁有較陰柔軟弱的特質。

■關於手肘與疾病訊息

手肘帶有自我保護的意味。在泰拳，曲起的手肘可是會形成像武器的尖角；但是，當我們受困而感到無能為力時，也會透過曲手把尖角向外的動作，例如把雙手挾在腋下、或者環抱手臂來掩飾內在的不安心情。肘關節和腕關節有些接近，也是靈活的象徵。

◆手肘受傷、不適：一種無能為力的窘迫。

◆手肘僵硬：心裡的想法與表現出來的言行充滿矛盾與猶豫。

■關於前手臂與疾病訊息

前手臂是當想法付諸實現，必須行動起來的必經之道。這個概念就像：當我們準備好好做些事時，總是會捲起袖子露出雙臂一樣。因此，這也代表了一種自信與自我展現的欲望。

◆前手臂受傷、不適：所置身的環境與情況，讓你沒有把握；態度消極。

■關於手腕與疾病訊息

手腕是靈活、帶有節奏的，它代表了我們肢體的流暢度，同時也是自在度的展現。

當手腕產生不適時，你需要檢視的層面，是你的人際關係是否圓融，或者你在進行的事情，是否事與願違。

◆手腕受傷、不適：不自由、人際衝突；經歷的事物與期望相去甚遠。

關於雙手手掌與疾病訊息

我們都喜歡溫暖的雙手，因此手與別人的接觸基本上是友善、溫暖的，手指配合動作，也能替我們傳遞內心的想法。雙手也是協調性的代表，當其中一隻手受傷無法運作時，必然會讓另一隻手使用上失去平衡；當其中一側的手受傷時，其實如同肩膀一樣，左右側分別有不同意義。（請參考 4-3 肩膀疾病訊息）

◆手掌受傷、不適：失去支配欲的不安與不滿、過於在意生活或生命中的某個不滿細節。

◆手掌無法向上伸展：缺乏拒絕別人要求的能力。

◆姆指受傷、不適：對智力與表現上的不滿足，否定自我。

◆食指受傷、不適：恐懼的心情。

◆中指受傷、不適：代表憤怒與欲望得不到滿足。

◆無名指受傷、不適：婚姻意象，以及相關的不滿與悲傷。

◆小指受傷、不適：家庭關係的不滿足；以及過於自我偽裝、防備。

◆手指關節炎：受害者意識作祟；抱怨與不滿足。

◆手指脫皮：代表告別過去，正在蛻變之中。

◆指甲的問題：覺得沒有被保護到，感到孤獨，沒有朋友；控制欲、完美主義者；抗拒改變。

◆咬指甲：感到挫折，或者對父母的憤怒。

◆富貴手及手部皮膚病變：焦慮、強顏歡笑壓抑自己的不滿；對事物與生活產生恐懼，不想接觸。

4-5 忠於自我的情緒源——胸腔疾病訊息解析

胸腔是一個很專屬對應到「我」的部位，其中包括橫隔膜、整體的胸部；心臟與肺部，以及乳房。

每個人或許都有小時候因為坐姿不良，被大人拍背要求「挺胸坐好！」的經驗。挺胸這個簡單的動作，其實包括了自信、自我表現，以及勇敢承擔的態度。無論內心是不是害怕，把胸挺好、或者大方拍著胸脯做擔保，總是帶來一種正面積極的感受。

「胸」這個部位有重要的心臟及肺臟，以及代表生命力與傳承的乳房，因此胸部也是非常脆弱、很直接能傳達情緒的部位；當我們感到受傷害，充滿不安全感與不滿足時，我們往往會想縮起自己，環抱雙臂把胸部隱藏起來。

而與胸部相關的病症，或多或少都與匱乏所引起的負面情緒有關。

關於胸腔與疾病訊息

由弧狀肋骨組成的胸腔代表守護私密自我的城堡，當肋骨與胸腔受創時，就是我們生命最顯脆弱的時刻。

另外，胸部也跟母性有關，當胸部發生問題時，其實反映了我們像個操心的母親，對事情產生過度的擔憂與執著。

◆ 肋骨斷裂：對生命失去掌控，發自內心感到脆弱與無助。

◆ 胸腔疼痛：不被愛的絕望與失去安全感。

關於心臟與疾病訊息

雖然現代人都知道，思考是腦部的活動，然而心臟仍被我們視為靈魂與內在能量的源點，所以「用心思考」這樣的說法仍會被我們運用。

心也象徵著愛意與重視，血液透過心臟流到人體四周，形成一個圓滿的循環，所以心臟血管的運作，實與一個人的心智與情感息息相關。

◆ 心臟痲痺：自我排斥與敵意、喪失對情感與生命的期望。

◆ 心臟病變：不快樂、不懂得從生命中看見喜悅、過於苛刻的對待自我。

◆ 動脈硬化：頑固不知變通，凡事都往壞處想。

◆ 冠狀動脈疾病：沒有安全感，拒絕改變。

◆ 靜脈炎：挫折感，對生命與生活感到不滿，卻總是責怪別人。

◆ 高血壓：不懂得釋放情緒、有未解決的情緒困擾。

◆低血壓：缺乏關愛的童年，將自己定義成失敗者。

◆白血病：對自我殘酷，限制想法與靈感；對事情感到消極與絕望。

關於肺部與疾病訊息

肺部掌控我們的呼吸，人因為一口氧氣而得以存活。

肺部健康帶有對人生的期望與否，或者我們是否感覺快樂與踏實。

◆肺部相關的病變：悲傷絕望，對人生與生命失去仰望，覺得活著沒有價值。

◆肺炎：對生命感到厭倦，或者有不想接納與改善的情緒創傷。

◆肺結核：封閉自我產生的衰弱，對事情懷抱憤恨、報復；無法原諒釋放的心結。

◆肺氣腫：對生命與存活的價值產生質疑。

關於乳房與疾病訊息

乳房是女性的性徵，因此在意義上也關係到：「若本身是個女性，妳是否認可自我？確信自己的魅力與女性價值？」

當妳對身為女性這件事感到不滿、不安與質疑時，就容易反應在乳房上。

◆乳癌：對身為女性的特質與自我價值無法認可、厭惡自己身為女人。

◆乳腺炎：過度保護、照顧別人，凡事以他人優先。

◆乳房不適：母親的象徵；與母親之間的關係，或者對於為人母的責任產生壓力。

■關於橫隔膜與疾病訊息

橫隔膜是胸與腹部的中心點，另外，當女性懷孕時，胎動對應的也是這個部位。因此，橫隔膜是外來能量（例如吞嚥食物）與內在生成能量（小嬰兒的心跳與胎動）上下交會的臨界，雖然只是一片平坦的肌肉，卻象徵無比重要的生命意義。

◆橫隔膜不適與病變：內在能量衝突；對現實產生錯誤的認知卻一意孤行，或者情感上的壓抑。

◆因橫隔膜產生的呼吸問題：對生命產生質疑與逃避。

名人小診堂　傳統女性說不出的悲傷——文英阿姨

二〇〇九年，陪伴電視觀眾多年的知名演員文英阿姨因肺癌離開了人世。在螢光幕上一直給人強悍、精明形象的文英阿姨，在訪談節目上聊起自己的婚姻時，卻說自己是很傳統的女人，對待丈夫多採忍讓的態度。

「我的婚姻是四個字：忍氣吞聲啦！」原來，文英阿姨的老公一直很喜歡在外拈花惹草，還曾經讓文英阿姨親自到旅社捉姦。在電視上聊起這些事，雖然文英阿姨講得很氣憤，說起追打丈夫和情婦的場面，來賓卻聽得叫好連連。

但可想而知，身為一個女性，面對丈夫的不忠，是何等傷心？前文已提到，肺部病變是始於悲傷、絕望，對人生與生命失去仰望，覺得活著沒有價值。這些部分，似乎或多或少可以呼應到一個以夫為天的傳統女性，在承受丈夫背叛打擊下所產生的負面情緒。

4-6 細微的不適也是情緒註解——臟器疾病訊息解析

人體的結構遠比我們想像的更複雜，五臟六腑各自也有所屬的特質與訊息；有些部位很容易讓我們有所感受，例如人一緊張就容易產生胃痛，這是我們都很熟悉的情緒反應模式。然而，有些器官平常卻不見得有痛覺與感受，因此當我們透過檢驗發覺該部位已有病變時，往往對健康的殺傷力已經非常驚人了。

因此，了解疾病訊息的好處，其實就是「預防勝於治療」的概念；當你知道某些情況或情緒會對人體產生負面影響時，你該做的就是趁早排除那樣的情緒，停止沉浸在負面思考，試著用本書所教的方式排解負面情緒。當你的內在變得乾淨、無毒，你會發現「健康快樂」不再只是一句祝詞，而且比想像中更容易實現。

■關於胃部與疾病訊息

胃替我們消化、分解食物，使其轉換成養分，但是胃也反應了飢餓；當人體能量不足，資源匱乏之時，胃會替我們發聲。

◆胃痙攣：有令人不願面對，感到厭煩的事物。

◆胃部不適：難以接受的情況引來反感；不確定性。
◆胃脹氣：對於事態緊張不安，沒有可以理解的自信。
◆胃潰瘍：惱怒於必須親自處理的事物。

關於肝藏與疾病訊息

肝臟具有解毒與排毒的功能，為我們維持健康。肝臟同時也反映了我們尋求生存意義時，所經歷的一切喜怒哀樂。

◆肝的問題：認為上天給予自己的是有問題的，因為身邊的狀況(包含哲學、宗教、神性）處於很大的困境，無法看清楚現狀，所以產生了很大的憤怒與不清醒。

有時候個案也會覺得自己沒有生存下來的權力，因為他們認為人生整個出了很大的問題。這往往來自原生家庭中讓個案覺得他們的出生是多餘的，但是卻又需要個案對家庭付出與貢獻所導致。

◆肝炎：恨意與憤怒；因不想改變而產生的憤怒。

關於膽囊與疾病訊息

看似不起眼的膽囊，卻可以說明了我們當下的情況。它同時代表了勇氣與自信，卻也有煩躁與無情的意涵。

◆膽結石：無法從負面思考與習慣中跳脫、對人譴責與傲慢。

◆膽囊問題：煩躁、對人沒有耐心，長期處於一個令人不滿的環境。

◆黃疸：缺乏愛、慈悲與寬恕；對外在感到非常失望、厭惡；覺得被歧視，自己的付出不被大眾認同。如果是新生兒黃疸的話，問題通常是反映父母的情緒狀態。

關於胰臟、脾臟與疾病訊息

胰臟、脾臟是掌管體內胰島素分泌和血糖含量的器官。胰臟的健康，其實和我們是否在生活中體驗到足夠的愛與親密交流有關。

◆糖尿病：害怕感情，覺得無法掌控，選擇以逃避和排斥面對；缺乏對生命的熱情。

◆脾臟病變：鬱鬱寡歡、易怒的情緒；占有欲。

關於腸道與疾病訊息

大腸與小腸吸收養分，同時也排泄廢物，為人體帶來有進有出的健康循環。

如果腸道的運作狀態異常，常常是因為我們覺得沒有安全感及恐懼，或是故步自封、不願做出突破。

◆大腸問題：過度擔憂自己是否能夠生存；感到自己被過度利用、虐待與被控制；不夠被愛。

◆小腸問題：對身邊發生的事情無法分析與理解，會適應不良；過度罪惡感、自我懷疑，極度需要被愛與認可。

◆結腸炎：沒有安全感，對事態演變感到無力。

◆盲腸炎：對生活恐懼，缺乏良性循環。

關於腎臟與疾病訊息

腎臟是體內的過濾器，專門篩選，留下好的，清除不好的。

腎臟帶有釋放的涵意，同時，它的部位與骨盆相近，因此腎臟常需處理的情緒問題，往往和人際有關係。而從中醫來看，則反映了恐懼的情緒。

◆腎結石：早就應該捨棄的固有、陳舊思想與概念。

◆腎臟相關病變：對人際關係和情感表達上有所擔憂。

◆腎炎：對失望或失敗的事情產生過度反應。

■關於膀胱與疾病訊息

膀胱代表了一種適應力，以及親密伴侶的身心關係；這不僅是你個人的身心狀態，也包括他人與你的互動。

在親密的伴侶關係出現裂痕或分手時，內在的悲傷與渴望往往會透過膀胱反映出來。

◆膀胱發炎：負面情緒得不到排解與舒緩；對於身處的情況無法適應與接受。

◆膀胱其他病變：焦慮、覺得被人討厭的自我嫌惡情緒；對生命的甜美充滿渴望。

◆尿道感染：渴望將生命中不好的人事物從生命中排除；對性感到恐懼，覺得在性方面總是會輸和受傷，但又無法放下。

◆尿床：對父母（通常是父親）感到畏懼。

名人小診堂　暴力下的受害者——比莉

腸子相關的病變始於沒有安全感和恐懼，而平日看似光鮮亮麗、紅極一時的比莉卻是大腸癌的患者，到底為什麼感到不安與恐懼呢？

透過網路與新聞，我們可以知道比莉的兩段婚姻都不愉快，尤其第二段婚姻更是離譜。據報導，比莉的第二任丈夫不但和朋友之妻不倫，甚至聯合外遇女友的老公，毒打、凌辱比莉，讓她日後想起當時的無助與恐懼，仍會大哭得不能自己。

療癒名師露易絲・賀在其著作《創造生命的奇蹟》一書提及：「癌症產生的可能原因，是人無法放下一份深沉的傷害、怨恨，以及背負著憎惡與無用感。」由此我們可以推測，比莉會罹患大腸癌，跟過去的創傷經驗有很大的關係。

4-7 生命的支撐點——腰、脊椎疾病訊息解析

腰痠背痛幾乎是現代人都有的毛病，我們往往只會覺得是自己不小心扭傷，或者將之視為普通的小毛病，擦點藥、揉捏一番就當作沒事。只是你有沒有想過，你的腰傷、背痛一直反覆出現，並非「舊傷復發」，而是你並沒有找到引起你不適的情緒原點。

也許你會覺得納悶，為什麼人有這麼多情緒與壓力？某種程度來說，科技進步也給人帶來壓力。網路、電視、電影和廣播促進資訊傳遞，我們每天要接收的訊息比從前多太多了，要知道，近三十年出現在世界的資訊比過去五千年還要多；而每五年，發表的知識量就會增加一倍；十七世紀英國人一輩子的資訊量，等於現代人一份報紙的資訊量。在資訊爆炸的情況下，情緒受到影響以及感到壓力的情況，會不知不覺發生。例如，每次打開新聞看到社會亂象，有些人會因為政治口水戰而大發脾氣，也有人因為物價、金融、股市問題感到憂心忡忡，這些不就是因為科技造成的「已知」，所引起的壓力與不安？

而因為過度沉迷於智慧型手機與平板電腦，近年來也出現了所謂的「手機焦慮症」以及相對低頭族特有的肩頸僵硬、坐姿不良、駝背、眼睛黃斑部病變等問題。

所以，回到疼痛這樣的問題，你會發現較少動到肢體而大量用腦的上班族，其實比一直扛沙

包、搬水泥的工人更常受到腰痠背痛之苦。在了解身體會透過疾病反應情緒與訊息之後，你會發覺這兩者的差異並不是表面上所見，「工人比上班族更常活動，所以較能適應操勞」這麼單純而已。

關於脊椎、骨骼與疾病訊息

脊椎是骨骼的主幹，也是人體的中心支柱，無論肌肉或血液、神經等，都與脊椎有關。脊椎與骨骼也是支撐力的象徵。

◆脊椎受傷：失去依靠，陷入危機，沒有安全感；拒絕承認內在軟弱。

◆脊椎彎曲：守舊不敢革新，覺得自己不完整，缺乏信念與勇氣。

◆骨折：對權威的反抗。

◆骨髓炎：失去愛與支持，對生命感到不滿。

關於上背部與疾病訊息

這裡指的是從肩膀到肩胛骨的範圍，軀幹從這部分延伸出了雙手，所以上背部堆積了許多我們對待他人的正面與負面情感。

◆上背部疼痛與病變：手邊進行的事讓人感到挫敗與不滿，與心中想法背道而馳；壓抑情感與愛意，覺得不被愛。

◆駝背：背負著不滿與怨恨，進而喪失鬥志與目標。

關於中背部與疾病訊息

橫隔膜的後方，也就是太陽神經叢的位置，掌管自我整合與力量。它的不適反映了，我們內在心靈在追求提升上，和自我意識受困於外在誘惑時產生的衝突。

◆中背部疼痛與病變：言不由衷，無法坦然說出真正的想法，或是內心有更高層次的渴望，卻一再臣服於眼前近利。

關於下背部（腰部）與疾病訊息

連結軀體與下肢的腰部，因為可動性與柔軟度，代表了我們對人生變化的應對能力。

◆腰部僵硬：令人措手不及的突發事件；因為計畫改變所帶來的不安。

◆腰痛與病變：對金錢與財務支持上感到不安。

名人小診堂

天王光環下的孤單心事——周杰倫

周杰倫是近年來華語歌壇少見演、歌、創作三棲的全方位藝人，他更被各大媒體與報章雜誌稱作「周董」，是一位前途不可限量的超級明星。不過，聽他聊起成名背後的辛酸，尤其令他耿耿於懷的家庭關係，其實都可以對應到當時他的身體狀況。

根據媒體報導，周杰倫主要被提起與健康有關的兩大困擾，分別是「僵直性脊椎炎」與「禿頭」；他曾在訪談聊起過去的成長經驗，約莫是他兩次大學考試失敗，準備入伍而無所事事，也不知未來前途何在的時候，發現自己得了僵直性脊椎炎。

為此病所苦的人，會覺得自己像是沒有地基的建築物，感到自己被世界遺棄，對於人生的處境無法接受，感到被要求與威脅，同時渴求情感又感到絕望。雖然，我們只能透過媒體報導側面了解周杰倫的背景，但他從不避談自己父母離異的事實。由此看來，他的成長背景與發病的時機點，確實和僵直性脊椎炎有所呼應。

至於禿頭的問題，通常是反映當事人沒辦法自由做自己，覺得自己與世界格格不入；必須壓迫自我以免被他人放棄，或者對於別人有條件的接受他、愛他感到不安與不滿（據報導，周杰倫曾在三年之內被所屬公司賣兩次）。又或者，是對才能、力量、地位的強大占有欲，或者對自己的強大影響力感到不安等。

當然，如果沒有這樣的背景，又怎麼能成就周杰倫當今在演藝圈的地位？但這樣的情況，不就像是一個意氣風發、從平凡人努力踏上巨星之路的小天王，可能會發生在成名之後，感到高處不勝寒的孤寂心情？

4-8 下半身能量轉運點——骨盆系統疾病訊息解析

骨盆與臀部是我們下半身的根基，也是醞釀能量的根源，就像樹根的連結處一樣。它位於上半身與下肢的中間，是身體另一個必要的轉運點。

因此，骨盆同時也代表一種人際脈絡。人一旦失去安全感，像是對親人、朋友或是另一半產生不安與害怕失去的情緒時，往往會引發骨盆相關的問題；例如，你可能會產生疼痛、僵硬等症狀，而長骨刺就是其中一種情緒的表現。

至於臀部，則是另一個有趣的地方。

臀部通常是被隱而不見的，當人緊張時，會感到臀部肌肉收縮的力量。但也許它同時具備生殖與排洩兩大功能，而這兩種人體的本能往往帶給人骯髒與負面的感受，因此，臀部象徵的是一種自我壓抑，或者與表現不相符的內在情感。

試想，當你緊繃著臀部肌肉時，你的表現或言語必然是不自在、刻意，甚至帶有強迫感的。例如：當我們必須忍住想上廁所的衝動，必須緊縮臀部肌肉，在外在的表現上必定無法從容自在。

除此之外，臀部也反應了部分童年經驗，尤其是與壓抑、衝突有關的回憶；例如因為失禁遭受的懲罰，或者性方面的不良經驗等。

■關於骨盆疾病與疾病訊息

◆骨盆痠痛、僵硬：人際關係上的不安定感；失去依靠。

◆坐骨神經痛：表裡不一的態度；因金錢而起的不安全感。

■關於臀部（排泄器官）與疾病訊息

◆臀部不適、肌肉痠痛：緊張、情緒不穩，違背自我的不安。

◆便祕：不肯拋開過去、守舊的思維；對自己或旁人吝嗇。

◆痢疾：身陷恐懼與責難中，對人事物產生排斥感。

◆肛門出血、痔瘡：憤怒與挫折；起因可能來自於不甘心。

◆肛門發癢與疼痛：罪惡感、悔恨，覺得自己不夠好。

4-9 性與自我認同——生殖系統疾病訊息解析

生殖系統是人類誕生的原點，性能量也是身心溝通上最強而有力的能量。因此，一旦生殖系統產生病變，代表的除了你在性能量上的不平衡，也表示你對自我性別上的認知與認同——你並不是那麼肯定自己。

另外，性的能量回歸到具體生活，就是我們與伴侶之間的親密溝通，是一種愛意與關切的表達方式；但是，如果我們錯用了這個管道，就極可能在另一半心裡留下陰影與傷害。

總之，生殖系統所反映的主軸，就是外在「性」與「性徵」上的內在問題；同時，它也是在傳達你自己或對方，是否對於誕生、餵養新生命做好身心上的準備。

■關於女性的生殖系統與疾病訊息

◆外生殖器病變：覺得自己不夠好、並不認同自己。

◆陰道炎與白帶：對伴侶的不滿，或對性有罪惡感；也代表一種自我懲罰。

◆子宮相關的病變：女性自我認同的問題，害怕承擔身為母親的責任；排斥自己的女性身份或角色（例如不想扮演媳婦或妻子的角色）。

◆卵巢相關的病變：尋找全新的人生道路時，內心產生的矛盾與衝突。

◆經痛或經期不順：需要學習放鬆與釋放固有想法；過於自我壓抑與約束，不喜歡自己。尤其是覺得男女不平等，自己應該像男人一樣堅強。

◆月經週期不穩定：與欲望有關的內在衝突；不肯接受自我、面對真實想法。

◆假性懷孕：想法、行動與潛意識產生衝突；例如明明不想生小孩，卻為了外在其他理由說服自己應該懷孕。

◆非人工與意外的自然流產：父母親潛意識對生育孩子的想法排斥；不恰當的生育時機；自己並沒有準備好承擔責任。

◆妊娠毒血症：不願意付出愛與接納被愛；身體對胎兒產生排斥，或潛意識逃避、拒絕為人母的責任。

◆分娩困難：過分的守護，拒絕讓生命獨立成長；需要學習放下。

◆性冷感：害怕失去（自我）掌控，恐懼不安；對懷孕排斥的女性也容易有性冷感的情況產生。

◆更年期不適：覺得自己不夠好；害怕變老與不被需要。

關於男性的生殖系統與疾病訊息

◆外生殖器病變：覺得自己不夠好、並不認同自己。

◆睪丸、攝護腺病變：身為男性的氣概與主張受到打壓；因為年紀漸長而對男性特質及性能力產生害怕失去的不安。

◆疝氣（脫腸）：受到環境刺激，引起急躁、困擾的情緒；關係破裂、感覺負擔沉重。

◆陽痿：壓力過大，感到罪惡、恐懼與失落感；或者，也有人會以陽痿來逃避令人不滿或索求無度的伴侶。

◆男性不孕：害怕承擔責任，對自我沒有信心。

◆尿道感染：對伴侶感到厭煩；或是以責怪別人來逃避責任。

其他生殖系統病症與疾病訊息

◆愛滋病：自我否定產生的情緒痛苦、內心與外在強大的矛盾衝突。

◆皰疹與梅毒：因為對性有罪惡感，所尋求的自我懲罰。

4-10 新方向的指引——下肢、足部系統疾病訊息解析

雙腳是人體的末稍，讓我們連結土地、站立或是行走。因此，就雙腳的意義來說，獨立、堅定與行動力的強弱與否，都會反映在我們的足部情況上。

通常，一個雙腳軟弱無力、不愛走動也不耐久走或站的人，必然會比較有依賴心；這似乎也反映了，為何很多人會透過慢跑來自我鍛鍊與穩定心性。由於跑步就是下肢的活動，當下肢肌肉強健、機能提升，整個人就會更有穩定性與爆發力。因為，你有一雙可以信賴的雙腿，你知道它們會帶你奔向目標，或者遠離不好的事物。

雙腳同時也反映我們的內在情緒，你會發現很多讀心術的書都告訴我們，當一個人腳的方向轉往與對談者相反時，這必然是一段不夠誠懇的談話；又或者，我們會因為放鬆，而讓自己的重心轉移到其中一隻腳上，透過不穩定、柔軟的站姿，來表達自己對環境與人的信賴。

人的下半身，往往比上半身來得更誠實。腿部肌肉緊繃時，必然反映了內心的不自在，因此你會發現如果你對環境與人感到不適應時，通常會一直透過改變雙腳的擺放與坐姿，來使自己轉移注意力或放鬆。

關於大腿與疾病訊息

女性朋友通常很在意肥胖的大腿，這並不見得只是吃太多或坐著不動。其實大腿聯結了能量產出的骨盆，以及移動性更強的小腿與足部，這反映的是一種當我們離開原生家庭後的內在安穩度。因此，如果你有大腿肥胖的問題，不妨思考看看你與父母、家庭的關係如何？

肥胖的大腿是一種不安全感的反映，也代表你為自己築了一道牆，拒絕他人進入，了解你的能量中心；就是肥胖的雙腿形成通往生殖器途徑的阻隔，表示你對性行為的不安與排斥。

- ◆大腿肥胖：對家庭關係的不滿足、童年創傷；對親蜜關係產生排斥。
- ◆大腿的問題：對未來感到恐懼，覺得自己不夠有成功的條件。缺乏自信，不夠被愛。

關於膝蓋與疾病訊息

膝蓋讓雙腿靈活，緩衝了走路產生的壓力，使移動充滿了彈性。

在象徵意義上，膝蓋代表了一種柔軟、自然的態度。同時，下跪這樣的動作也需要用膝蓋表達，它代表了人的屈服、妥協，或者謙卑。

- ◆膝蓋僵硬：固執、不知變通、害怕改變或進步；無法為自己站出來對抗。
- ◆膝蓋疼痛：屈就與被迫忍受不滿的人事物。
- ◆膝蓋創傷、瘀傷：過於驕傲、自我。

名人小診堂 超乎名望之外的壓力——馬英九

馬英九總統上任以來，承受許多莫大的壓力與考驗。新聞指出他做完健康檢查後，發現多數健康狀況均良好，但是膝蓋因老化，而有輕微骨關節炎現象。

除了老化會引起膝蓋關節的問題，另有下列三個因素，也會讓人的膝蓋關節產生病變：

一、遭逢重大改變：因為生命產生戲劇性的變化，因此懷抱著對命運的矛盾，無法認清未來，無論自我價值或社會地位，都可能處於危險中。因此，當事人只能緊抓著過去的模式來自我保護。這樣的人往往來自主流，或是非常注重原則的傳統家庭。

二、固執：因為無法臣服於外在世界的改變、無法低頭，因而顯得沒有彈性，使生活中產生種種衝突。

三、受困於「沒人教我怎麼做」：如此的思維下，是一種自我膨脹，導致假象的自尊與自信，並且對毀滅感到恐懼。同時，也因為太自私，對過去產生很多悔恨。

關於小腿（外脛）與疾病訊息

膝蓋之下、腳掌之上的外脛，我們一般稱為小腿，它反映了我們對新事物、環境的感想。當你並不喜歡被動產生的新轉變時，小腿就會產生能量堆積、堵塞的情況。

◆小腿問題：生活中的標準與理想崩毀，而且自己無力拯救與挽回。對世界缺乏安全感，覺得連老天也背棄自己而去。這些人往往因為拖延的行為而讓事情的狀況變糟，因為糟糕而又繼續拖延行動，最後造成了一個惡性循環。

◆小腿瘀傷、受傷：因被迫改變而產生不滿；對未來害怕、不願前行。

■關於腳踝與疾病訊息

腳踝是人體、心智與土地三者之間的橋樑，當你打算移動時，是先有了想法，才開始動身，接著一步一步踏往新方向。

因此，當你的人生無論外在或內在受到限制時，必然會在腳踝產生能量阻塞；腳踝出問題，移動或拓展的想法必會受到阻礙，人也會留在原地，這完全是一個惡性循環。

◆腳踝骨折：內心的傷害與衝突、欠缺安全感；不明白生存方向與意義。

◆腳踝扭傷：需要停下來思考、試著自我調整以便重新出發。

■關於腳掌與疾病訊息

腳掌位於人體最末稍，也是每一步的起始，同樣帶有尋找人生方向的意義。有趣的是爪型的腳趾，當腳趾收縮與緊繃像鳥獸一樣，其實在反應一種渴望與想要掌握的情緒；同時，因為渴望更多而產生的狂喜（有關或非關「性」的興奮），也會反映在收縮的腳趾上。

◆腳趾僵硬或萎縮：欠缺對抗壓力的能力。

◆拇囊炎腫：個性軟弱、無法當機立斷，害怕改變現狀的駝鳥心態。

◆腳掌厚繭或脫皮：需要捨棄過時的舊思維；觀念守舊固執。

◆腳掌大量出汗：內在自我調適中，一種情緒能量的釋放。

◆腳掌水腫：情緒不安與苦悶，或有事與願違的無奈感。

◆足癬／香港腳：因為不被接納而產生的挫折，進而自我質疑、設限。

◆阿基里斯腱：不願意把想法付諸行動。

4-11 令人無力的惡性腫瘤

二〇一四年台灣的十大死因依序為：

一、惡性腫瘤
二、心臟疾病
三、腦血管疾病
四、糖尿病
五、肺炎
六、事故傷害
七、慢性下呼吸道疾病
八、高血壓性疾病
九、慢性肝病及肝硬化
十、腎炎、腎病症候群及腎病變

上述的十大死因，除了事故傷害與惡性腫瘤以外，其餘生理病症都已經在本章詳細解說其背後的情緒問題了，所以我們接續補充說明癌症。癌症背後的情緒主要可以歸類到以下五種：

1 無力的憤怒感

癌症病人因為遇到太大且太多挫折，而感到人生很空虛。他們內心往往堆積著多年來對於自己最深層問題的內在矛盾、罪惡感、傷痛與懊惱。這些感覺連結到失望、對現狀不滿、無助、自我放逐等等諸多情緒。他們覺得人生已經無法翻盤，他們並不想好好面對自己內在深層的一部分。這樣的人有著許多愛、支援與慈悲想給予，但是在受苦與缺乏自信的人生中，這些愛、支援與慈悲被壓抑；因為他們曾經給予太多，而且不在乎自己，到最後被磨成了「不想再付出」、「不再相信人」的狀態。

有些人即使患有癌症，也從來不抱怨，因為他們的內在深信這是他們所應得的。他們從不在乎自己內在的呼喚，而是在乎別人對他們的需要。事實上是，他們一直都抱有一個想死掉的念頭，所以身體產生了腫瘤來幫助他們「心想事成」。

2 做什麼都是枉然

有的人則是帶著強烈的失敗感與無能感。他們壓抑著自己的情緒，尤其是憤怒。他們相信別人是對的，自己是錯的。他們內在很深很深地覺得自己不夠好，必須要不斷給予別人；同時又把自己的憤怒壓抑起來，久而久之形成了很深的受傷與懊惱，對於外在感到無力與煩躁，同時讓自己與別人隔離。

3 痛恨一切

對世界與所有的人都痛恨，他們憤世嫉俗，覺得自己的處境與人生一直都糟透了，而且他們不知道怎麼逃離這樣的環境。他們有著許多無解的恨、報復心、嫉妒與羨慕；而這些情緒都只能在表面上被表達出來一點點，大部分都往內在壓抑了。

4 對愛上癮

這類的人一輩子都在追尋愛，但是卻完全無法愛上人或是讓愛進到生命中來。他們因為原生家庭的關係而不斷地自我責罰、覺得孤單。他們經常性感受到失去感、無望感、不健全的恐懼以及被遺棄的憂鬱，甚至連懊惱的權利都會被剝奪。

很多時候，這類惡性腫瘤的發生來自於痛失長年以來的摯愛，因為這個失去，導致於對愛的強烈追尋。

5 火山爆發

這類型的人基本上就是一座活火山，隨時隨地都可能爆炸。他們覺得自己是這個殘酷世界的犧牲者，他們認為因為這個世界不公不義，所以自己必須化身為「復仇天使」（或是「正義魔人」），要替天行道，給予旁人應得的懲罰，而且世人也在要求著這樣的懲罰降臨。當然，這只存在於他們認知的人格面具與理論而已。他們認為世界沒有所謂的慈悲，這是個極度虛偽的世界，所以他們痛恨這個世界。

在我的臨床觀察中，癌症患者說話時經常會表達一種「以偏概全」的方式，像是：「男人沒有一個好東西！」、「我一定是上輩子欠他的！」等等。

世界原本是一個黑與白共存的灰色地帶，但是在癌症患者的眼中則成了不是白就一定是黑的偏激狀態，他們完全看不到事情相對的另一面存在的可能性。這樣單一面向的想法，不僅會使自己思想僵化，身體更加速往「結束」的單一方向前進；但是只要給予正確的方式，引導他們的想法、信念與價值觀，往往都有扭轉現狀、改變命運的極大可能性。

ch5 破解治病的迷思

5-0 全觀你的身心健康

近年來，健康與食安的新聞屢屢躍上頭條。其實，無論是厭食症、黑心油或者虐嬰事件等等，值得探討的並不只是事件本身，而是背後的「動機」——為什麼？為什麼人會做出如此詭異乖舛的行為？

這裡面沒有什麼祕密，答案說穿了，也就是壓抑情緒惹的禍。人的情緒一旦長久被壓抑，就會產生負面壓力；負面情緒累積久了，不但會造成身體上的疾病，連心也會跟著生病。

舉我身邊的一個例子來說：

芬妮是一位我剛從國外留學回來的朋友，某日她突然打電話跟我說，她的左臉突然嚴重鬆垮、往下掉，而且淚流不止。她立刻前往醫院檢查，但醫師經過判斷後，告訴她這不是中風，是貝爾氏麻痺（一種暫時性的顏面神經麻痺），但醫師卻也無法說明這暫時性的顏面神經麻痺背後的原因究竟是怎麼一回事。雖然芬妮的表哥是一位眼科醫生，但能做的也不過是開眼藥水給她。但是基本上點了眼藥水也沒有讓症狀改善。於是，我問她最近是不是有什麼令她十分擔心或排斥的事情？

「有啊！」芬妮不假思索告訴我，她很希望從事企管方面的工作，但她的父親卻硬要她去當老師。兩人之間的關係也因此變得很緊張。

其實，她對父親的專制感到很不滿，但又從未表示出來。應該說，不敢表現出來。芬妮想要找尋的答案，其實已經出現在她自己身上了：不自覺流出的眼淚，是因為她的內心為自己無法作主而悲傷；她不想從事沒興趣的工作，卻又不敢違逆父親，內心非常掙扎。最後，身體用顏面神經麻痺的方式來回應她的內心，讓她可以不必這麼快就去當老師（而且，問題是出現在於需要面對學生的臉上）。

於是，透過電話，我帶領她做ＥＦＴ情緒釋放技巧（詳見第二章）。但沒想到，即使沒有旁人，芬妮竟然還是害怕父親怕到連「我對我爸爸很不爽」的真心話，都不敢大聲喊出來，可見她的情緒有多壓抑。

其實東方人普遍都有壓抑情緒的情形，這也就是為什麼那些不吸菸、不喝酒的人仍然會生大病；注重養生，該吃的維他命一樣也不少的人，有些仍然逃不開病魔找上門。因此衍生出值得大家省思的問題：只是吃了一堆健康食品，注重飲食，就真的不會生病嗎？

本章探討的是許多存在於你我生活中，身體與心靈、情緒產生衝突時，所引起的病症個案，目的在於希望讀者能透過別人的故事，想想自己的處境。如果，你渴望真正的健康，請記得最重要的原則：「不要再忽視自己的情緒，身體與心理的互動是無法不被當成一回事的。」

5-1 病痛，不是中止不適就算療癒

二〇一三年，好萊塢性感女星安潔莉娜．裘莉投書《紐約時報》，表示在她接受BRCA基因檢測後，為了防杜乳癌侵襲，勇敢地切除雙乳；更在二〇一五年切除了卵巢，以避免步上其母後塵，死於卵巢癌。

看到這一則新聞，真是讓我為一般大眾對身心靈之間關係的無知感到驚嚇不已。從主流醫學的角度來看，醫生會以腫瘤或癌細胞的大小與蔓延結果，來判斷病患到底是第幾期。於是，零期、一期的病人，多半慶幸發現得早，切掉就沒事了。

然而，當真切掉腫瘤或器官就沒事嗎？

我們的免疫系統是心理健康的最後一道防線，當體內累積的不良因子過盛，導致身體失衡、心理無法負荷時，免疫系統就會潰堤，身體會透過疾病來發出警告的訊息。因此，不管是鼻子過敏、皮膚病，或者糖尿病，甚至癌症，都是身體給我們的訊息。

所以，癌症發生的重點並不在於腫瘤的大小，而是身體要告訴我們什麼？應對的態度自然也不該只是切除了事，而是要反問自己：「這個腫瘤（或疾病）到底要帶給我什麼訊息？」我們可以從身體、心理、靈性、家庭、工作、金錢與人際關係幾個面向仔細思考。

我認為，腫瘤是人類身體進化的結果。過去的人鮮少有癌症出現，現代人則因為環境、飲食污染，加上長期的壓力，身體累積了許多毒素。而身體為了緩衝，便製造出一個「人體垃圾桶」（即腫瘤），將這些毒素暫時隔離。當人將情緒與身體調整好，只要移除毒素的速度快過累積的速度，身體回歸自然平衡的狀態，腫瘤也就漸漸消失了。

偏偏人們在得知身體有腫瘤後，就急著將它割除，這只是治標不治本，因為你可能仍然處於高壓的環境，依然不懂得釋放心靈的毒素，或者沒有改善任何會讓你產生不愉快的人際關係。因此，若干時間之後腫瘤還是可能會再度出現。

想要確實的健康，真的不能只作表面功夫。提到「表面功夫」的治療觀，我在此分享兩個迷思給各位參考：

據說，缺鈣要補鈣、更年期要補充荷爾蒙？

自從骨質疏鬆症的不良影響被正視之後，「補鈣」就成了全民運動。有人說要多喝大骨湯、多吃小魚乾，有人提倡喝牛奶（其實，牛奶反而導致骨質疏鬆；詳情請見《牛奶，謊言與內幕》一書），更多人靠鈣片來補鈣。另外，我們也會聽到許多權威消息指出：光吃鈣片是沒用的，必須要加上維他命D、鎂才有效。

事實真的是如此嗎？我比較持保留態度。因為人體只有在運動、走路時，透過肌肉力學的反饋，大腦才有辦法判斷骨頭中的鈣質含量是否充足，唯有大腦判定骨質不足時，體內的鈣質才會被骨骼所吸收使用。換句話說，如果只是把鈣片當飯吞，卻是個不愛運動的懶人，大腦會判定這些鈣質是多餘的而排出體外，吃得再多也會有骨質疏鬆的疑慮，因為「吃下」並不等於「留住」。

同樣的迷思，也存在於更年期要補充荷爾蒙的這個問題上。然而，更年期的問題，卻未必是荷爾蒙不足所造成的。上天讓我們有更年期，一定有其用意存在，否則人類不需要有更年期！當我們年紀大時，無論男性和女性都卸下了生育的責任，但我發現個性越剛烈的男性，就越容易有攝護腺的問題；而個性越任性、耍特權、有女王病的女性，則越容易有更年期的不適應。

由此看來，不需要負生殖責任的更年期，或許是要告訴大男人們應該學著溫柔；而女人則要更獨立圓融。這些心性上的啟示，恐怕是吃遍中西補藥都學不到的事。

附帶一提，中醫針對更年期常用的調理方劑是「甘麥大棗湯」，裡面的成分跟賀爾蒙一點關係都沒有。所以「更年期」真的是賀爾蒙的問題嗎？

骨頭痛，就是要整骨、醫骨？

林老闆是我的一位個案，他風塵僕僕從新竹來諮詢：「從昨天開始，我的下背就很痛，不知道是怎麼一回事？」林老闆說，他學習瑜伽多年，從未發生過這樣的事情，是不是該去看骨科呢？

骨痛醫骨，這樣的邏輯聽起來似乎沒錯，不過，從自然醫學的角度來看，很多時候並非是「哪邊痛就醫哪邊」這麼單純。當林老闆告訴我「突然」背痛，我直接推斷，林老闆一定有財務相關心事。

果然，在聊到最近景氣問題時，林老闆顯得很擔憂，他告訴我，他很煩心公司的前途，也苦惱萬一公司撐不下去，他的員工該怎麼辦？

聽了林老闆這番說詞，也驗證了我的判定。當金錢壓力出現時，會與背部產生問題有關（詳見本書第四章）。因此，處理林老闆的問題除了針對背部使用撥恩技巧之外，也需要處理情緒以緩解他在金錢上的焦慮。

林老闆的故事，是很多人的縮影。大部分的人都和林老闆一樣，哪邊不舒服就找哪一科掛號看診，而未真正追究為何不舒服？就算一時醫好了，同樣的病痛日後還是會發生。

如果你並不喜歡這樣耗費精神、心力的醫療過程，也許下次換個觀點去學習觀察身體透過疾病所發出的訊息，會讓你更徹底邁向康復之路。

5-2 過敏原，跟你想的不一樣

很多人都有食物過敏的問題，當然也許你的體質真的對某些食物較排斥，不過，在此我想分享的是與食物本身無關的過敏故事。

米亞是我在加拿大求學時的朋友，某年秋天她回台灣玩，最想念的就是台灣美食。

「妳真會挑日子，現在的螃蟹最讚！」當我盤算著要帶她去何處大啖美食時，米亞突然很哀怨地告訴我，她現在只要吃到有殼的海鮮類都會過敏。

奇怪的是，在我印象中，米亞在加拿大時，對海鮮向來不忌口。

細聊之下，米亞才告訴我，她曾與一位特別愛吃海鮮的男性交往，幾乎每次約會，男友都會點大量的海鮮，而且都會逼她把所有點的海鮮吃完，因為這樣才不會浪費。於是，米亞對海鮮慢慢從喜好，變成了一種恐懼，後來他們分手了。某天，米亞在吃完海鮮之後，竟發現自己的皮膚起了嚴重的過敏。

聽完這樣的故事，我直接了當告訴她：「其實，妳是對前男友過敏，不是對海鮮過敏。」

米亞的過敏看似是食物造成的，實際上卻是她的情緒與過去發生的事連結在一起的緣故。

雖然她與那位海鮮狂男友分手已久，但因為當時被逼著吃海鮮的恐懼經驗太深刻，她的記憶和身體沒辦法把過去的事情放下，因此當她看到海鮮，就會連結到與前男友在一起時的不愉快經驗。

後來，經過情緒釋放的處理之後，米亞對海鮮的恐懼消除了，過一陣子當她有機會吃到美味的螃蟹與蝦子時，過敏的症狀已不再發生。

除此之外，我也遇過另一個案例，是關於病人以為自己對西藥過敏，但其實是始於對一段不愉快的醫病經驗，讓病人從此對醫生不信任，身體對醫師所給予的藥物產生抗拒，甚至嚴重到被醫師戴著乳膠手套碰到，身體都會產生過敏症狀。

可以想見，對這位個案來說，病不好需要看醫生，看醫生又引起過敏，這樣的惡性循環如果不中止，怎麼會有真正康復的一日呢？

過敏，幾乎是許多人都曾經歷的病症，只是我們過去通常會把過敏原歸咎於有形的食物或物品，卻沒想到，不好的感覺與回憶，才是心裡最難排解的過敏原。

食物，其實就只是食物而已，除非你賦予它食物以外的意義。

父母，很可能是孩子最大的過敏原

也許有人會問，萬一從小就有過敏問題，怎麼辦？這一點，就得談到個案本身的成長環境。

我曾經遇過一位何太太，她帶著就讀小學的兒子和女兒前來諮詢。小朋友除了每天起床都會流鼻水，妹妹還有全身痠痛及發癢的問題，看過西醫、中醫都找不出原因。

這對兄妹很活潑，每次見面都會和我玩得很開心。大約第四次諮詢時，妹妹的過敏及痠痛已經改善許多，哥哥雖然也有好轉，卻不如妹妹那麼快。

於是，我問何太太，是不是哥哥平常會覺得壓力比較大？她只是告訴我，學校老師曾反應過哥哥較調皮，因此，我一直以為哥哥的問題出自學校產生的壓力。直到某日我見到他們的父親何先生，我才了解問題何在。

記得那天何先生帶著這對兄妹前來診所，我立刻就能感覺到不同以往的氛圍。兩個小朋友變得嚴肅又安靜，連對我微笑都很緊張。而何先生在聽到我針對小朋友的情緒壓力開出巴哈花精時，立刻很兇地駁斥：「小孩子哪有什麼壓力？不要打他、罵他，拿電動玩具給他玩，這樣就好了！」「花精哪有什麼能量？只有維他命才有能量！」

何先生完全否定花精、孩子的壓力和自然醫學的強硬態度，不只中止了小朋友的康復之路，也讓我了解到這對兄妹最大的過敏原，是來自於脾氣暴躁的父親。

事後，何太太還打電話告訴我說：「我先生平常對小孩子就很兇，他昨天已經很給您面子了！」這讓我覺得很驚訝，因為我無從想像這位父親的「很兇」到底是什麼程度？我不禁深深為兩位小朋友感到不捨。

「愛之深，責之切」或許是我們傳統的教育觀。然而必須面對的是，嚴厲、強硬的管教未必適合每個孩子，也不一定就能教出成功的下一代。因此，藉由這個案例，我想提醒各位父母：「孩子往往是反映父母親問題的鏡子，在你為了孩子的健康四處求醫時，是否想過也許『病原』就出在自己身上呢？」

再舉我身邊一個朋友的例子，依依小時候有很嚴重的呼吸道過敏，也曾患上嚴重的氣管炎，卻始終查不出原因。在依依長大以後，這樣的問題自然解除了，只是某次在和我討論疾病問題時，我告訴她氣管方面的問題反映了成長環境的喧鬧、不安，如果父母之間充滿了爭吵，小朋友就比較容易產生不適。呼吸方面有問題，代表著情緒上覺得自己喘不過氣來。

依依深思了一下，告訴我，她是由祖父母帶大的，的確在她幼年時光很多記憶都是祖父母吵架的畫面。她的例子也一再佐證了兒童健康真的會受到家庭環境（未必局限於父母本身）所影響。

過敏的紅疹，是一種警示與求援

過敏有許多不同的症狀，起紅疹是其中一種，同時也是最令人覺得困擾的一種。

談起過敏紅疹，不知道大家有沒有發現，不管是世界上哪一個地區的原住民，只要是在作戰的時候，就會在身上畫彩繪，其目的是威嚇敵人、讓對方產生恐懼。

現代人雖然不必塗彩繪作戰，但潛意識仍保留了來自母體（matrix）這個部分的印記。所以，當生活中遇到不可抵禦的威脅時，人體就會以過敏症狀作為保護自我的本能，讓自己看起來比較可怕，進而使敵人不想靠近你，以便為自己解套。

在我的臨床經驗裡，曾碰過小朋友因為在學校被霸凌，或是不想上學時，皮膚就會過敏起疹子。然而在現代社會中，皮膚出紅疹恐怕只會嚇到自己和父母。更不妙的情況是，當父母發現小朋友只是起紅疹，並沒有併發別的症狀，便不允許他們請假，那麼小朋友帶著一身紅疹反而更容易被嘲笑與欺負，造成惡性循環。

因此，若你發現身邊的小朋友或成年人，會沒來由地產生紅疹或其他皮膚過敏的情況，除了可以建議對方看皮膚科，透過外力鎮定與消除紅疹之外，也別忘了多與對方聊聊。當對方願意敞開心房和你傾吐想法時，你也許就更能掌握到誘發過敏的原因，除了是那些你我皆知的飲食、季節、細菌感染等表面因素外，還有哪些攸關家庭、同儕或其他人的「心理過敏原」。

5-3 疼惜你的心肝！解讀心臟與肝病

華人對於心愛的人或物品，會以「我的心肝」來稱呼，由此可見心臟與肝臟對人體的重要。然而，許多現代人卻逃不出心臟血管問題與肝功能疾病的魔掌。這些令人避之唯恐不及的慢性重症，又反映了內在的哪些問題呢？

心臟病症代表控制欲，以及對愛不滿足

葉先生是一位馬來西亞相當高階的業務主管，因為工作關係總是時常往來不同國家。只要他在某個地區停留得比較久，就會和當地女性發展出一段戀情。因此，算一算，他總共有四個老婆，而且每個老婆都為他生了小孩。

葉先生雖然有四個女人與八個小孩，卻從未盡過養育責任。他是一個事業心超強的人，每天都忙著工作、忙著賺錢、忙著爭取更高的地位，對家庭則是完完全全忽略。不得已，大老婆只好自己開雜貨店，並把二老婆和孩子們接過來。憑著一己之力，養活兩家人。

當我跟葉先生的第三個兒子彼得（約四十歲左右）聊到他父親時，他說：「我出生之後，

爸爸就到別的國家工作了，要不是他心臟病發作住院，我可能還見不到他呢！」算一算，父子倆這輩子相處的時間，加起來竟不到一年。

由於彼得曾經是我的個案，因此當他得知父親要動心臟繞道手術時，便來電詢問我的意見。在自然醫學的觀點裡，外科手術本來就對人體帶有強大的傷害，舉例來說，我的外公就是在動完心臟繞道手術半年後就離開人世。心臟的問題其實很複雜，而且並不一定能刀到病除，有時候還關係到人生使命等因素；像前總統李登輝先生，也曾因為心臟的問題開刀並且安裝了支架。也許因為他的意志力激勵了他的心臟，自然帶動了生命力。

總之，以我的立場來說，並不建議年紀太大而且虛弱的病人做這樣的手術，然而葉先生當時並不是我的病人，在資訊不足的情況下，我也不敢妄下斷言。後來，葉先生的家人幾經討論後決定要動手術，只是手術雖然還算成功，但葉先生卻再也無法脫離呼吸維持器。

後來彼得請我飛了一趟馬來西亞。在親自接觸到葉先生之後，我發現他的心臟問題是由兩個原因造成的。

首先，葉先生有很強的控制欲，即使沒有盡到養育的責任，但還是抱持著「不管兒子長到幾歲，還是要聽命於老爸」的心態。因此，氣切後不方便講話的他，總是以手勢示意大兒子親自幫他進行手腳復健，反倒將看護晾在一旁。要知道，葉先生的大兒子已經五十歲多了，而且也不是護理專業人士，但葉先生這樣的行逕，實在是讓人搞不清楚他到底是不信任外人，還是在拿自己的身體開玩笑？

連在病榻上都如此堅持己見、我行我素，可想而知他的控制欲有多強大。這樣的人一旦發現最想成就的事業、錢財、地位都沒辦法掌控時，往往會冒出覺得自己不夠好、不滿足的嫌惡情緒。不管是有形或無形的心，在這樣的情況下，想要不生病也難。

另外，葉先生為了成就自己的事業，捨棄了親情之愛與天倫之樂，他與親生子女之間恐怕比同事還要生疏。在他內心深處，自然也會因為對愛的匱乏感到不安，這也是生成心臟疾病的原因之一。

透過情緒處理，我穩定了葉先生的病況。但是，我能做的只是基本功夫，重點應該是上天藉由這場病，想要提醒葉先生，該如何在有限生命時間裡，學會放下控制欲，並且試著修復與家人之間的情感。

抑鬱與憤怒是肝病的兩大起因

肝病是台灣人的國民病，從中醫觀點來看，肝臟是貯藏憤怒與抑鬱的臟腑。

肝臟發生病變的人，往往是因為生命中經歷的某些事件讓他們失去平衡，使人生顛覆或變質而產生了憤怒與抑鬱。另外，心生不平的情緒因素也會影響肝臟健康。那是一種：覺得自己無論怎麼做都得不到讚賞，努力都沒有被看見的不滿情緒。

具體來說，就是有些人會特別記仇。相信你一定遇過那種人，他們生活在抱怨與不滿中，事事都覺得不公平，對於「公平」這兩個字格外敏感，總是不斷得尋找、證明它，甚至為了公平，會懷抱一種復仇心態，變成了所謂的「正義魔人」。

這樣的人在思想與行為上常帶有攻擊性，可能是來自從小被罵到大的家庭成長環境，教育他們用謾罵的方式面對所有問題，以至於慢慢養成不斷地欺騙自己，用狡辯的方式或高分貝的音量壓過別人，來掩飾自己的攻擊性與脾氣大的個性。

另外，還有一種與肝病有關的情緒因素，則是認為自己不夠好，覺得自己與世界格格不入，內在自我攻擊的負面情況。

例如，我有一位肝病個案仁雄，就是從小被家人不斷灌輸「你不夠好」的想法，讓他一直試圖證明自己的存在價值。但結果卻是他無法面對自己人生中的不平，沒有足夠的自信為自己挺身而出，最後只好把自己隱藏起來，藉由欺騙自己，不面對問題以逃避壓力。於是，這份長期無法掌控人生的抑鬱，使他得到了肝病。

附帶一提，在多年的臨床經驗裡，我發現，肝炎與肝病雖然都是肝臟的問題，但兩者略有不同。肝病主要起因於不平與憤怒的抑鬱；而肝炎患者則多半對過去有嚴重的後悔與懊惱，讓現在的他沒有自信，難以面對眼前的現況，無力改變，容易自我懷疑，導致抗壓性很低，只要壓力一來就容易緊張。

肝病不只是台灣的國病，也襲捲了全亞洲，例如：中國大陸人民多數有A肝問題，而日本則是壓力引起的自殺率高居不下。這或許是因為東方人的教育比較讓人不懂得面對壓力，而我們又習慣以高壓的方式教育小孩，並且將「有壓力」貼上軟弱、可恥的標籤。所以當人只壓抑壓力卻不正視與抒發它時，這些負面能量自然會往肝臟部位堆積。

5-4 自己的健康也與家人有關

從自然醫學的身心靈全人角度來看，生病的原因是負面情緒所造成，它不只會影響全家人，甚至糾結三代。很多時候，生病也是一種來自父母的傳承，因此一家三、四口一起來找我諮詢是一件很稀鬆平常的事情，並不一定是得什麼重症。但是若從西方醫學的角度來看，往往會認為，一些疾病的原因來自於家庭成員彼此的感染與影響。

在此分享一位個案故事。江女士是一家小公司的負責人，並也是育有一子一女的單親母親，她和兒子都有僵直性脊椎炎的問題。江女士本以為，兒子的病是遺傳，但是在我深入了解兒子的病況後，我發現她兒子的問題，是源自僵直性脊椎炎的其中一個背後象徵情緒——不想獨立。

江女士告訴我，她的兒子的確會以僵直性脊椎炎來作為逃避很多事情的藉口：高中時因為身體不舒服而辦理休學；後來就連找工作也推說脊椎痛不能工作。此外，他的脾氣很差。在得知他兒子內在的逃避心態之後，情緒排毒的處理與撥恩技巧很快得到回應。江女士甚至很高興跟我說，她兒子決定回學校把高中讀完。

不過，當我處理好江女士與她的兒子，下週來找我諮詢的卻換成江女士的女兒。二十三歲的心形希望能解決頭痛的困擾。諮詢過程中，她很明快告訴我：「其實，我很討厭媽媽逼我接她的公司。」問題的原因比我預期中更早被發現，於是我試著與江女士溝通。

我本以為江女士是獨立創業者，但她告訴我，其實手邊的公司是父母留下來的。原本並無意經營這間公司的她表示：「現在想起來，我還是覺得心中不舒服，其實我對服裝設計很有興趣，但我父母卻硬逼我接手自己家的公司。」江女士抱怨著父母的強硬態度，卻沒發現她正將同樣的模式強加在女兒身上，因此，女兒的頭痛，無非是一種無言的抗議。

過動兒，其實是父母的鏡子

從上一則故事當中告訴了我們，家人的想法與言行，真的會左右你我的健康。

除了「生病」如此具體的健康問題，現在家庭裡愈來愈多的過動兒（過動兒的正確名稱為「注意力不足／過動症」，患者會出現易衝動或注意力不集中的情形，簡稱 ADHD），也是一種大家認為是不健康的狀態。曾有一位國小老師告訴我，現在每一個班級，幾乎都有一、兩個或以上的過動兒，令他十分納悶。

從西醫的角度看，遺傳、重金屬累積、腦部受損都可能是造成過動兒的原因。但你是否覺得奇怪：「為什麼現在的過動兒比以前要多出許多？」

據我的觀察，許多所謂的過動兒只要一接觸到他們喜歡的東西，像是電動玩具，就可以乖乖坐在電視機前面好幾個小時，乖得跟什麼一樣。而如果他喜歡的是神奇寶貝，他更可以如數家珍般把每一隻神奇寶貝的特性倒背如流。請讀者仔細思考一下，他們真的過動、真的有學習障礙嗎？

我從臨床接觸過動兒的經驗中，發現了一個令人驚訝的事實：過動兒的父母當中，往往有一位（或父母皆是）與上一輩相處得並不親近。

國小二年級的小喬，被西醫確定為過動兒，與她母親深談過後，發現她生長在一個重男輕女的家庭，從小就被父母疏忽，也一直渴望親人的愛。國小三年級的小芳，也是「有證書」（診斷證明）的過動兒，她的爸爸則在一個父親超嚴格的家庭中長大，經常打罵她，因此小芳從未覺得父親是愛她的。

由此可知，過動兒的父親或母親，往往與上一輩有著濃濃的疏離感，他們渴望親情卻又得不到，所以生下來的孩子就像鏡子一般，會藉由各種行為引起父母的注意，替父母表達了之前不敢或者做不到，試圖引起關注的行為。

如果你家也有過動兒，請問問自己或另一半：是否對父母有些怨懟，甚至恨意呢？

請試著原諒你的父母，釋放內心的悲傷與怨恨吧！你會發現，漸漸地，你的孩子將不會再以過動的行為來顯現你的缺憾。

腳踝不適，反映了對家人的依賴心

今年三十歲的王麥可，是坐在輪椅上被母親帶進諮詢室的。王媽媽告訴我，麥可小時候發高燒影響了腦力，成績較差，比不上優秀的哥哥與弟弟；再加上五歲時曾出過車禍，從此身體就變得很不好。不過，麥可並不是從五歲就開始依賴輪椅，會不良於行只是這半年間的事。

「在這之前，他只有腳踝痛。」王媽媽說。在諮詢過程中，他媽媽都是有問必答，但當下我就覺得不太對勁，為什麼一個成年人都要靠母親來回答問題呢？

於是我請麥可親自說明不適之處。他慢慢卻不失條理的告訴我，西醫告訴他是骨刺問題。接著，我請麥可試著走路，他扶著牆，因為腳踝會痛，必須用腳跟頂著地板走；再加上他的體重較重，所以走起路來發出巨大的聲響，看起來非常吃力。

撥恩技巧雖然能緩解麥可腳踝的不適，不過從他身上的其他毛病看來，我卻發現了另外的問題——過胖、口吃、長期鼻水直流，意指當事人內心有著極大的不安全感與悲傷，卻怯於表達。

我只能推敲，麥可從小被優秀的大哥和小弟「夾攻」，心裡應有很大的不滿。但是，這似乎都不是讓他一蹶不振的主要原因。

第二次諮詢時，透過我與麥可以及他母親的三方問答，我大致掌握了幾個重點：

1. 麥可從小就胖，但高職時曾經以散步作為主要運動方式，一次可以走三小時，並且因此瘦了不少，這表示麥可的身體狀況原本還不錯。
2. 王媽媽的小兒子出社會時，大兒子仍在唸博士。王媽媽經常在家中碎碎唸，認為大兒子應該要趕快畢業，出社會賺錢。這些看在麥可眼中，想必開始產生了壓力。
3. 麥可腳踝疼痛的時間，正好是他大哥畢業後初出社會賺錢之時。也許，這讓麥可意識到自己是家中唯一還沒有賺錢的小孩後，心理壓力也愈來愈大。
4. 自從腳踝疼痛後，麥可開始暴飲暴食，體重比之前更重，雙腳也從每天可以走三小時，變成必須扶著東西才能走，甚至得依賴輪椅。因為這樣的「病」，他不得不在家休養，有了合理休學與不工作的理由，而且能獨占母親的關愛。王媽媽不但不會逼他外出工作賺錢，還會特別關心麥可的日常生活與身體健康。

若從主流醫學的角度來看，麥可的問題不脫體重過重與腳踝之間的關係。因為胖到腳踝無法支撐體重，結構產生變化，腳踝處長了骨刺，導致他無法走路。但是，從我的角度來看當然不是如此。於是，我告訴王媽媽，麥可的胖和腳踝的傷都是來自情緒問題：「如果不處理他的情緒，看什麼神醫都沒有用。」

只是，王媽媽一時之間並不能接受我從情緒治療的切入觀點，因此好一陣子沒回來找我。再次見到他們母子，已經是一年後的事了。

王媽媽告訴我，她試了許多療法都不見起色。無論王媽媽是不是抱著「死馬當活馬醫」的心態又回來，總之，她給自己也給兒子一個康復的機會。情緒釋放雖然不見得能立竿見影，但是不到半小時，麥可走路的腳步輕盈了許多，已不再充滿沉重的巨響。

透過一步一步的情緒排毒與三方溝通，麥可的健康恢復許多，也對完成學位、學習獨立不再只是消極逃避。

在麥可的案例中，我感受到一位母親對弱勢孩子的關愛和照顧，同時，也看到母子之間「一個過度擔心溺愛，一個用病痛依賴家人」的不健康關係。麥可雖然因為智力比不上兄弟感到壓力，但是無法面對它，選擇逃避與依賴的卻也是自己。

所以，我們可以說麥可的壓力是自己給的，那是自我認同的問題。壓力也許是存在的，但是要把它當成一回事、擴大壓力造成的傷害，卻是個人主觀的認知問題。這攸關到你怎麼去思考、面對那些情緒，有時候，這只是當事人的一念之差罷了。

5-5 男人說不出的痛——性功能障礙與情緒關係

男人性功能上的病症，往往是一個「不能說的祕密」。開不了口的困擾，並不代表不存在，更不應該被忽視。本篇探討的三個案例，就是三種造成男性性功能障礙的不同成因。

故事1：不被認同所造成的傷害

鎮東是一家公司的老闆，起初他找我處理的是皮膚問題。一直到後來，他才趁機問我：「三十八歲就不舉，是不是很糟糕？」

原來，這才是他前來找我的真正原因。

鎮東是一個很有企圖心的人，退伍後就完全不靠家裡，自行出來闖蕩創業，由於他從事的產業很專精、獨道，因此賺錢對他來說，並不是一件困難的事。在親友眼中，他就是年輕有為的代表。諮詢過程中，我照例探詢了個案的人際關係，鎮東表示他和女友相處得不錯，但母親卻不太喜歡他女友。

細聊之下，鎮東告訴我，他從小就經常被媽媽否定。他的母親總是說：「你這樣做不對，那樣做不好！」即使他不到三十歲就創業有成，他母親仍覺得他不夠好。

「連買車子、買房子，我媽媽都嫌棄我的眼光，覺得她選的才比較好，硬是要我聽她的。所以買車的時候啊，我故意去買了一輛她很不喜歡的跑車來氣她！」看著鎮東愈說愈不滿的表情，我明白，他不舉的癥結，來自於他母親。

「媽媽從不認同自己」這件事，讓鎮東難以肯定自己；再加上明明事業已經很成功，卻依然被母親否定，這成為壓倒他自尊心的最後一根稻草。受到母親影響，鎮東產生了自我否定的想法，不但反應在生殖器官（做愛時不舉），泌尿系統也出了問題（如小便之後尿道會痠痠的）。

在此，我不禁也想對天下的母親們說：「孩子聽媽媽的話固然很好，可是學習放手是一門學問。雖然很困難，但妳如果真的愛妳的小孩，就應該讓已經長大的他們，去過屬於自己的人生，並且認同他的選擇。」

故事2：輕視感造成的不舉

很多人都表示「男人是下半身的動物」、「男人生理需求大於感情需求」。但是說真的，我有不少性功能障礙的男性個案，都是「感情需求不足」造成的。

傑克是被女友帶來找我諮詢的，從外表看，他的體型明顯比女友小一號。由於傑克的女友曾是我的個案，所以我很了解他們共同創業以來那份同舟共濟的情感。照理來說，應該如膠似漆的兩人，怎麼會出現床笫不順的困擾？

私下諮詢時，傑克告訴我，他只有和女朋友在一起時，才會出現「關機」的症狀。他還說，雖說兩人是共同創業，但是跑業務、做決定都是女友，漸漸地形成了女方比男方強勢的情況，不論是大事小事，女友都要傑克聽她的。

因此，當愛情的熱潮消退，不想被女友一直管的傑克，也曾試著提出分手，卻被女友以自殺威脅而作罷。此後，傑克發生了不舉的困擾，而他為了證明自己，曾瞞著女友和別的女性發生關係。如常享受魚水之歡的傑克恍然大悟一件事：「他並非不行，而是受不了和女友之間像母子般的高壓約束，所以對女友喪失了興趣。」傑克的這個發現真是太神奇了。

「我一點也不覺得她愛我！好吧，也許她是關心我，但是相較於男女之間的情愛，我有時會覺得我比較像是女友的寵物或兒子；她說東，我就不能往西。」傑克悻悻然說出了心中的孤寂。

這個故事，無非是在提醒大家，近年來女權主義高漲，許多女性以有個「妻管嚴」的另一半而自豪，樂在對於男友或老公採取高壓、強迫的「馭夫術」。查勤、緊迫盯人、金錢控管樣樣來，真是名副其實的「女王病」。

但是，向來不是一個人表面聽從妳，內心就會完全向著妳。把另一半「調教」得很好，真的就是女人的成就嗎？殊不知，許多男人只是藉此學得更精明、更懂得避開「法律漏洞」而已。

曾有句名言說得好：「失去一個男人最快的方法，就是讓自己變成他老媽！」各位女性朋友，妳想要的到底是個「聽話」的男人，還是一個「真心以待」的伴侶呢？這一點，不妨好好省思一下。

故事3：不舉的「媽寶」

過於聽從母親的話、依賴母親的男人，有一個專有名詞：「媽寶」。在故事一當中，我提到不被母親認同，會影響男性雄風。事實上，太聽媽媽的話，也會導致男人的不舉。

像我就曾遇見一位個案，從小在單親家庭長大，他因為感恩母親一手拉拔他，在選擇婚姻對象時，抱著「媽媽喜歡就好」的態度，娶了一個媽媽喜歡，但他自己一點感覺也沒有的女性。儘管理智上他認為自己可以接受這樣的婚姻，可是身體卻以不舉來抗議他身心靈上的不統一。

泰瑞則屬於另外一種類型。在他很小的時候，父親因公移居海外，一年頂多回國兩次，所以從小泰瑞可說是與媽媽相依為命。

或許因為丈夫長年不在身邊，泰瑞的母親十分黏他，並且在他心目中塑造出「媽媽是最棒的」形象。因此，泰瑞在選擇女友時，不知不覺都以母親為範本。可是，每次的戀情都不到半年就告吹，因為他始終覺得對方不像媽媽那麼好。無法屈就於不夠像母親的女性，以致泰瑞往往在最重要的親密時刻無法起任何生理反應。

從泰瑞的例子中，我們可以看出他母親在不知不覺中，將兒子與丈夫的角色重疊，再加上林先生在成長過程當中缺乏了父親的身教，讓身為男性的泰瑞應該有的生活模式與典範都出現混淆，造成了今日的性功能障礙。

類似的故事，其實還有許多不同的變化版本，例如母親本身對性愛抱持嫌惡、骯髒的態度，因而影響了子女，變得逃避欲望。或者，晚上會進房間來蓋被子的母親，讓子女長期處於一種被監視的狀態，也會讓子女在兩性關係上產生不安全感與陰影。

綜觀以上的故事，所得的結論不外乎那個大原則——尊重與自由。為人父母，真的要學習去尊重子女的自我成長，並且適度放手給予自我空間，才真正能讓孩子成為一個身心健全的成人。

5-6 月經，反映了女性的祕密心事

相信許多女性朋友都有月經方面的困擾。有些人是愛來不來，經期難以掌握；有些人則是只要一碰到經期，就渾身上下不對勁。許多標榜福利良好的企業，都會規畫出一天生理假，讓飽受經痛困擾的女性，得以獲得適當的休息。

許多探討身心療癒的書籍，都會提到「月經，是一種小型的死亡」。大量失血，從體內排出未孕育生命體的人體組織，確實有舊我已逝的「新生」意象。月經的發生應是身體機能運作正常的證明，但是當女性朋友的生理期不順，或者產生相關的病症時，除了器官本身在生理上的異常，不妨思考一下，在心理上妳又是怎麼看待身為女性的自己呢？

壓抑女性特質，會讓經期不順

面對每個月要來一次的月經，相信很多女性都會覺得麻煩。但是別忘了，「月經」是女人才有、特有的一份得天獨厚的「禮物」，當妳對它產生排斥，不妨想想那令妳不滿的癥結，除了要清理、人會虛弱等等外在因素，是不是妳也並不喜歡身為女性的自己？

很多女生都會說：「雖然我外表像女人，但我個性跟男人沒什麼不同。」而我的個案裡，也不乏這種男性化的女性，她們可以跟男生當哥兒們，或者希望自己是男生，甚至覺得是男生的靈魂卻住進了女生的軀體。然而，她們又不是蕾絲邊，只是不完全認同自己的性別而已。

任職廣告公司的小優就是這樣一個例子。長期有經痛問題的她，在無意中聊起廣告事務，立即表現出對物化女性的廣告很不滿。她從小就被認為「無法當好女生的角色」。例如：她總會被嫌棄個性不夠內斂、不夠溫柔體貼，也包括對家事、廚藝不感興趣，因而被家人指責沒有做好女生應盡的義務。這些種種評價批評讓小優在「做個女生」這件事上感到很無力。這樣的評價，跟著小優長大，令她十分憤怒，到最後進而演變成不認同自己的女生特質。

因此，當我問小優對月經的看法時？她的反應竟是：「最好永遠都不要來！」

另一個例子和小優有些接近，只是故事中的蓓蓓更進一步壓抑自身的女性特質：蓓蓓剛升上外商公司的小主管，沒想到卻因為下屬對她的不友善，讓她在當上主管後開始懷疑自己，產生角色認同衝突，覺得「女人要當個主管很困難」，因而產生了原本沒有的、生理期上的病痛。

過去，女性不用到社會上工作，這個問題也許不那麼明顯。但是，現代女性身為主管或老闆的情形很普遍，性別認同的問題就愈來愈嚴重。

縱觀上述兩個例子，不管是「女孩應該有女孩的樣子」，或是「女人沒辦法做好男人的事」所帶來的壓力，都是讓女性排斥自我，產生嫌惡的原因。

我想分享的是：「這些其實不過都是觀念上的制約，『變得像男人一樣』未必會替女性同胞帶來比較好的處境。畢竟，妳的本質仍是個女人，妳應該以自己的女性特質與天賦為榮，肯定自我能力其實是與性別無關的。」

因此，以小優和蓓蓓為例來探討，當她們兩位想真正解決生理期所帶來的困擾時，可以先從觀念上認可自己的女性價值，全然接納自己、愛自己，才能獲得整合身心後的健康。

另外，除了因工作而起的性別迷思，當女性因為「性」感到恐懼、罪惡與骯髒時，也可能會產生月經上的問題。像單身、四十歲的黛比就告訴我，「身為女性」不是件快樂的事。原來，在黛比初潮來臨時候，母親便告訴她「月經很髒」（這就好比小男孩在玩自己的性器官時，被大人指責：「那個很髒，不要去摸！」一樣），連帶也被嚴禁碰觸與了解關於女性的下半身。

這樣的責難，無形中讓黛比把與性相關的一切，都冷漠視之，或者壓抑以對，進而影響了她的生理期。

更年期不適，始因於恐懼情緒作祟

女性除了在生理期會有所不適、讓身邊的人覺得難以捉摸，其實「更年期」更是一大挑戰。我聽過許多例子，都是女性朋友在更年期的時候，除了身體上的不適，更出現了許多憂鬱、焦慮、失落感、空虛，甚至歇斯底里等情緒方面的問題。

從生理學的角度來看，更年期代表生育能力的中止，換句話說，它喚起的是女性潛在意識裡「不再被需要」的恐懼。尤其婚後就在家相夫教子的家庭主婦，因為少了家庭以外的成就認可，更容易經歷更年期身心上的不適。

才剛過完五十歲生日的珮琪，近一年陸續出現各種更年期的症狀，令她十分心煩。諮詢時聊起一對兒女，她非常自豪告訴我，他們都是台大研究所畢業的。

但是聊起近況，珮琪臉色一沉，說：「可是，他們現在都在外縣市上班，平常也不住家裡，唉！」

如此造成珮琪更年期這麼不適的原因，同樣出現在許多母親身上。有些人會用「空巢期」，來談論這樣一段當孩子獨立後，為人父母覺得不再被需要的孤寂時光。因此，像珮琪這樣把重心放在孩子身上的母親，多半有「被需要」的特質。她們很需要子女的認同與關愛。

另外，對「變老」這件事產生抗拒，也是更年期在反映的訊息。

以珮琪的例子來說，她屬於十分敏感的類型，若家人的表現讓她感受到一點點「不被需要」，或者不像以前那樣被需要，她就會歇斯底里地無限放大那些讓她自覺受傷的情緒。

我曾經與珮琪的大兒子談過話，得知珮琪在孩子小的時候，總以「有條件的愛」來訓練小孩，灌輸小孩「你乖，我才愛你」的概念，長期以來令她的兒女們很受不了，因此決定藉由去外縣市工作逃避。

深入了解珮琪的成長背景後，發現她也是在複製上一代給她的教育觀。對珮琪而言，愛是必須有條件的：「她要努力博取認可，如果沒有認可就等於不被愛！」因此，當她得不到子女的附議與贊同，發現子女會反抗時，她本能認為自己是個不被愛的人，自覺很失敗、無助，或者老了、沒用了。

各位辛苦的媽媽們，兒女獨立離家是很正常的，「人長大後向外尋求發展」，並不代表母親做得不好，也不代表成人不需要母親，妳不應該因此受困在被拋棄的壓力中，拒絕生命的流動。

卸下母親的責任，並沒有想像中那麼可怕。或許在過去，我們被要求要傳宗接代，被要求必須表現溫柔體貼，但也許這些「要求」妳並非心甘情願，這個為別人而活的過程令我們找不到自我。

現在，更年期到了，過去加諸在我們身上的這些勉強，都是可以被放下的。沒有了月經的生理羈絆，妳更可以活用接下來的光陰，去過屬於自己的人生，這才是更年期要告訴我們的訊息。

此外，若家中有更年期婦女的家人，也可以透過一份體諒的心，讓媽媽知道：「她是被需要，而且持續被肯定的。」能成為一家人、共同走過人生的長路是難得的緣分，所以，無論是更年期的當事人，或身旁的伴侶與親人，真的要學習彼此各讓一步，多一些關懷與體諒。

5-7 疾病的神魔轉捩點

人生起起伏伏，不同的階段總會有不同的關卡與挑戰。學生時代，我們會為了每一次的大小考試而努力；出社會以後，又有著多變、難以掌握的職場生涯等待著我們。

也許你會覺得，健康好像真的與年齡成反比。年紀越大，健康狀況越走下坡，這始因不只是人體機能開始老化這麼簡單，其中有很多原因，是因為「長大了」的我們，除了享受成年人的自由生活，也脫離了壓力的保護傘，需要面對更多人生的變化。

套句周星馳的知名台詞：「做人如果沒有夢想，那跟鹹魚有什麼兩樣？」如果把夢想比喻成人生的目標，那麼我們可以得到這樣的一個結論：「人活著如果沒有夢想，不只是會像條鹹魚，而且還會生病！」

糖尿病，象徵對人生目標的尋求

里維是我的個案，原先任職於國外一間遊戲公司，並對於電玩遊戲十分專精。從事自己喜歡且快樂的事業讓里維過得很自在。然而有一天，里維的父親突然病危，提出了希望他回國接掌事業的要求。里維為了不讓父親白手起家打下的江山被人就此接手，於是勉強同意這個請求。

成為公司負責人的里維，看來位高權重，收入也比以前更多，朋友和親戚們都覺得他賺到了。但是，他並不快樂，他不但對父親的事業沒興趣，更討厭公司裡的權謀鬥爭，於是里維選擇以最愛的電動跟吃來釋放壓力，不出短短幾個月，他的體重就破百，健康狀況也出問題。

里維是因為肩膀痠痛的問題前來諮詢，我問他之前是否有相似的問題，他搖搖頭：「以前就算我整天在電腦前打電動，也從來沒有肩膀痠痛過。」處理他的肩膀並不困難，只是他始終沒有離開自己公司那充滿負面情緒的環境，因此他的肩膀狀況時好時壞。

更難纏的是，後來里維在公司健診時發現自己得了糖尿病！在得知他的健康狀況及接管家業的始末後，我除了透過情緒釋放和撥恩技巧替里維舒緩身體上的不適，也建議他不妨帶太太到國外度個假，讓心情舒暢一下。

隔月，里維再去驗血時，發現血糖變得正常了。

他之所以康復得這麼快，主要原因有兩個；第一，里維因為去度假，讓他有較長時間可以遠離自家公司的負面壓力；二，里維的太太懷孕了！這個喜訊讓他從原本「為償父願」的無奈心境，轉變成當人生出現新的奮鬥目標時，燃起那一份積極努力。

如果你身邊也有被糖尿病困擾的人，不妨關心一下他是否從事著與理想相違背的事情？或者，他是否找不到自己的人生目標，只是為了滿足別人的需求，活得像行屍走肉？

當然，希望讀者不要搞混了「自私」與「為自己的目標而活」兩者之間的差異，不管多大的責任與使命，每個人都應該保留最真我的一部分，好好經營屬於自己的人生目標。

痔瘡，反映了你的責任心

前文提到了責任，接下來就來談談一個「負責任過了頭」所產生的病症：痔瘡。

我曾經詢問過一位深受痔瘡所苦的個案彥銘，他到底什麼時候出現這個問題的？他告訴我，打從他從事業務工作開始就深受其害，算算至今已十五個年頭。

我們來思考一下，業務員是怎樣的工作？

從事業務的人不管在哪個行業，不外乎就是責任制，擁有時間和業績上的壓力。因此，從情緒的角度來看，痔瘡與「責任感」有著極大的關係。

因為責任所產生壓力的情況有很多，有些人常被戲稱「天生勞碌命」，總是一肩扛起所有責任，認為自己若不插手，事情就不夠順利，即使很累也不敢掉以輕心，甚至會把別人的事也攬下來做。

另一種人則是經常處於「截止日」的壓力之下。彥銘的工作是保險業，保險業務員每個月都有業績截止日，一年之中也有很多的業績競賽，讓他不斷地對時限感到壓力與恐懼（害怕沒業績或業績不足）。

因此，容易緊張、被壓抑的人，無法對人開口說不、他人交辦的事都照單接收的人，也是痔瘡最愛找上的對象。又或者，像是出版社編輯、有寫稿壓力的記者，需要在時限內提報案子的企畫專員、被上司交待某時段要完成工作的員工，甚至有每個月到了繳款日都很頭大的月光族，都可能為痔瘡所苦。

比較特別的是，還有那種「連後悔都被壓抑住，無法表達出來」的痔瘡患者，這類型的人往往處於過多的負面情緒中，心裡也有很多難言之隱（比如沒錢）。他們深深覺得自己是「活該」，只著眼在那些貼著「自我負責」標籤的消磨，卻忽略了將眼光放在創造價值上。

由此可知，痔瘡是你的身體在抗議——抗議你對他人的要求過於照單全收、委屈自己，卻忽視自己的不安與憤怒。因此，如果你也是一個不時受到痔瘡困擾的人，不妨轉換一下想法，學著對事情放手，責任未必都得一個人獨扛。

身心僵化，小心膝蓋出毛病

很多人以為膝蓋產生不適，是老人家才會有的毛病，其實不然；許多人在三十五歲、甚至更早以前，就會產生膝蓋痛、蹲不下去的情況。縱觀中西禮俗，「屈膝」的動作一直有代表謙卑的意涵；因此，當你膝蓋出現問題時，通常反應了兩種情況：（一）倔強的情緒，（二）缺乏彈性、動彈不得的處境。

倔強的情緒，包括無法接受他人對自己的寬恕、了解或不慈悲等；而缺乏彈性，則代表一種僵化的思維，無法接受新的事物。在這樣的情況下，膝蓋就容易產生不適。

就如同肩膀、足部的不適，會因為發生在左側或右側而帶有不同的意思；不同邊的膝蓋問題，也代表著不一樣的情緒。

當病痛出現在右邊膝蓋，通常表示當事人的信念、思考原則，被打壓、受到負面影響或破壞。例如，我有位個案鴻斌出身在不錯的家庭，原本他以為今生可以靠著老爸過養尊處優的日子，但是，父親的忽然過世讓他不得不面對工作、經濟等現實問題。他原本的信念不再受到支持，他的右邊膝蓋就疼痛起來了。

至於左邊膝蓋的問題，則是與「想法過時」有關。當一個人原本所相信的事情過時了（不管是宗教、社會價值、自我信念、生存法則等），人們就很容易失去方向、缺乏安全感、覺得無法再給出承諾，生命因此失去了意義。漸漸地，對自我的理解力產生質疑，並失去反應力，因而形成壓力，造成左膝的問題。

不切實際和武裝自己，也會產生膝蓋問題

附帶一提，人唯有膝蓋健康的時候，才能帶動身體前行。因此，當一個人的想法不切實際，對世界產生過多幻想（價值觀與現實不符）時，膝蓋也容易出問題。

我朋友的長輩蘇阿姨，在動了人工關節的手術後，因為忍受不了復健的疼痛，因此拒絕復健。她把它歸咎成手術失敗，後續二十年都得依賴拐杖。

但是，你真的覺得她是因為手術失敗才不能走路嗎？其實，這一切都是她自己的選擇。她消極以「放棄走路」，來逃避恢復健康的過程中所需承擔的疼痛。

相較於不願面對現實，另一種膝蓋易出問題的人，心中則經常出現「沒有人教我如何做」的情緒。這類型的人，常有很大的野心，但是他們的自豪自傲，都是自己吹捧出來的，個性往往是自大又狂妄；通常，他們是比較叛逆的一份子，會反抗、挑戰權威，個性自傲，對自己有錯誤認知的自信心，破壞性強，柔軟度不夠。

不過在這樣的外表之下，隱藏的是一種恐懼，叛逆不過是虛張聲勢罷了。如此表裡不一、充滿衝突的身心，久而久之也會造成膝蓋的問題。

後記

在我多年的研究與臨床經驗中，我不斷地發現到情緒與疾病的關聯，而背後造成情緒壓力的，是每個人主觀的信念、價值觀與現實不符的結果。你的感知影響到你的生理功能，你的生理功能則反映出你內心真實的想法。

疾病，其實就是一個內心失衡觀點所造成的結果。你所感受到身體上的種種症狀，都是身體嘗試著要告訴你——「你生命中有哪些面向是失去平衡的。」

所以疾病本身並不是件「壞事」，而且如果能夠去了解疾病背後的信念與價值觀的意義，反而更能夠幫助你的情緒平衡，你的生理機能和身體自然也能回復到健康的狀態。

對於內心的主觀意識是如何形成的方面有興趣，或是想更專注在平衡自己情緒、信念與價值觀的朋友們，可以參考我另一本著作《放下的力量》，書上有更進一步探討這方面相關的訊息。

【附錄一】身體與病症訊息一覽表

	疾病與身體徵兆	可能原因與相關訊息
頭部問題	白頭髮 Gray/White hair	◆壓力 ◆緊張感
	禿頭 Baldness	◆恐懼、緊張 ◆想控制每件事 ◆不信賴生命過程
	頭痛 Headaches	◆使自己虛弱 ◆自我批判 ◆恐懼 ◆自我否定
	偏頭痛 Migraine headaches	◆不喜歡被操縱 ◆抗拒生命的流動 ◆對性的恐懼，性憂鬱（通常可以藉由手淫獲得紓解）
	頭暈 Dizziness	◆心浮氣躁 ◆思考渙散 ◆拒絕看事情
	昏迷 Coma	◆因恐懼逃離現實或逃避某人
	昏厥 Faint/Pass out	◆恐懼 ◆無法應付
	暈眩 Vertigo	◆心浮氣躁 ◆散亂而不切實際的思想／思考渙散 ◆拒絕去看
	暈車、暈船、暈機 Motion sickness	◆恐懼喪失掌控權
	腦腫瘤 Brain tumor	◆不正確的思考信念 ◆固執，拒絕改變陳舊的形態
	腦膜炎 Spinal meningitis	◆對生命感到憤怒 ◆家庭極度不和，生活在憤怒與恐懼的氣氛中 ◆內心紛亂 ◆缺乏支援
	帕金森氏病 Parkinson’s disease	◆恐懼並有強烈的欲望、想控制一切
	阿茲海默症 Alzheimer’s disease	◆拒絕以順其自然態度去應對周遭 ◆失望、無助、憤怒 ◆渴望離開地球 ◆無法面對生命

頭部問題	癡呆症 Dementia	◆拒絕面對真實世界 ◆絕望、憤怒
	健忘症 Amnesia	◆恐懼 ◆逃避生活 ◆不能忍受自己
	腦溢血／中風 Cerebral hemorrhage／Stroke	◆放棄、反抗 ◆極度頑固 ◆拒絕生命
	大腦中風 Cerebral palsy	◆需要以愛的行動使家人團結一致
	中風／癱瘓 Palsy	◆放棄 ◆抗拒 ◆寧死不肯改變 ◆排斥生命 ◆思想癱瘓，進退維谷
	癲癇症 Epilepsy	◆覺得受到迫害 ◆排斥生命、拒絕生活 ◆很掙扎 ◆自我暴力 ◆離家出走
內分泌與新陳代謝	腺體 Glands	代表擁有地位與自我啟動的力量
	腺體的問題 Glandular problems	◆缺乏起而行的意念與行動
	多毛症 Hirsutism	◆壓抑的憤怒、恐懼 ◆渴望指責別人 ◆不願好好的善待自己
	超重／肥胖 Overweight／Obesity	◆因恐懼而需要被保護 ◆逃避感覺並自我排斥 ◆不安全感 ◆追求成就感，尋求滿足 ◆恐懼可能只是隱藏的憤怒和拒絕寬恕的表象
	發育問題 Growths problems	◆醞釀怨恨的情緒
	腦下垂體 Pituitary gland	◆代表控制中樞
	厭食症 Anorexia	◆自我厭惡、排斥，否定自己的生命 ◆極端恐懼
	缺乏食欲 Appetite, loss of	◆恐懼 ◆保護自己 ◆不信任生命

	暴食症 Bulimia	◆恐懼而絕望 ◆一種瘋狂填塞食物的自我憎恨 ◆因恐懼需要被保護並評斷自己的情緒
神經問題	神經 Nerves	象徵溝通 如敏銳的播報員
	亨丁頓舞蹈症／神經退化 Huntington's disease	◆對於無法改變別人感到怨恨、絕望
	神經痛 Neuralgia	◆因罪惡感而自我懲罰 ◆因與人溝通不良而產生極大的痛苦
	疼痛 Pain	◆因罪惡感而尋求懲罰
	持續性疼痛 Aches	◆渴望被愛、被擁抱
	狂犬病 Rabies	◆憤怒 ◆認為暴力是唯一可行的方法
臉部問題	臉部 Face	代表我們向世界的展現
	貝爾氏麻痺／暫時性顏面神經麻痺 Bell's palsy	◆壓抑脾氣與感情的表達
	臉部線條下垂 Sagging line	◆心靈低落的思想 ◆對生命感到憤怒
	皺紋 Wrinkles	◆臉上的皺紋來自心靈的消沉思想與對生命有所怨恨
	面部慣性抽筋 Tics/Twitches	◆恐懼 ◆感覺遭到監視
	粉刺 Acne	◆不接受自我，不喜歡自己
	黑頭粉刺 Blackheads	◆常發小脾氣
	白頭粉刺 Whiteheads	◆隱匿醜陋
	青春痘／痤瘡／面皰 Pimples	◆爆發小小的憤怒
	黑頭面皰 Black pimples	◆自覺污穢，不被人愛

眼睛問題	眼睛 Eyes	看過去、現在和未來的能力
	眼睛問題 Eye problems	◆不喜歡生命中看到的一切
	兒童的眼疾 Children's eye problems	◆不願看到家裡發生的事情
	麥粒腫／針眼 Sty／Corns	◆透過憤怒的眼光看待生命 ◆對某事生氣 ◆根深蒂固的思想觀念 ◆執著於過去的傷痛
	散光 Astigmatism	◆覺得自己很差 ◆害怕看清楚自己
	白內障 Cataracts	◆無法以喜悅展望未來 ◆覺得前景一片黑暗
	斜視 Cross eyed	◆不想看到外面的世界 ◆睥睨
	內斜視 Cross-eye／Esotropia	◆不想看到外面的事物 ◆有成見
	外斜視 Walleyed／Exotropia	◆害怕注視現在正發生的事情
	近視 Nearsighted/Myopia	◆對未來感到害怕
	遠視 Farsighted／Hyperopia	◆恐懼現狀
	青光眼 Glaucoma	◆無情且不寬恕 ◆長期創傷之苦所造成 ◆過度壓抑
	結膜炎 Conjunctivitis	◆對生命中所看見的事物感到憤怒與氣餒
	傳染性結膜炎／紅眼 Ophthalmia／Blood-shot eyes	◆憤怒 ◆挫折 ◆不想看
	角膜炎 Keratitis	◆極端地憤怒 ◆想打人或看得見的事物
	乾眼症 Dry eye	◆憤怒而拒絕用愛的眼光去看待生命 ◆寧死也不饒恕、懷恨的

耳朵問題	耳朵 Ears	聽的能力
	耳痛／耳炎 Earache／Otitis	◆憤怒 ◆不想聽 ◆混亂不堪 ◆父母親之間的爭執
	耳聾 Deafness	◆固執、拒絕接受 ◆疏離 ◆不想聽、不願受到打擾
	耳鳴 Tinnitus	◆拒絕聆聽內心的聲音 ◆固執
	失去平衡 Balance, loss of	◆精神渙散，不專注
	乳突炎／耳後腫痛 Mastoiditis	◆憤怒與挫折 ◆不肯聽到發生的事 ◆恐懼感影響了理解能力 ◆通常會發生在小孩身上
上呼吸道問題	鼻子 Nose	表示自我肯定
	鼻出血 Nose bleeds	◆需要被認可 ◆覺得不受認同 ◆不被注意 ◆迫切需要被愛
	鼻竇問題／鼻竇炎 Sinus problems／Sinusitis	◆對某個親近的人惱怒
	流鼻涕 Runny nose	◆要求幫助 ◆內心的哭喊
	鼻涕倒流 Post nasal drip	◆內心的哭泣 ◆幼稚的眼淚 ◆受害者
	鼻塞 Stuffy nose	◆內心哭泣 ◆幼稚的眼淚 ◆受害者意識 ◆不能肯定自我價值

上呼吸道問題	花粉症／枯草熱 Hay fever	◆情緒混亂 ◆度日如年 ◆覺得自己受到迫害 ◆有罪惡感
	呼吸 Breath	◆代表接納生命的能力
	呼吸問題 Breathing problems	◆害怕或拒絕完全接納生命 ◆覺得自己沒有生存的權利
	打鼾 Snoring	◆拒絕放下陳舊的思考模式，很固執
	換氣過度症 Hyperventilation	◆恐懼 ◆拒絕改變 ◆不信任生命過程
	氣喘病 Asthma	◆窒息的愛 ◆無法為自己呼吸 ◆情感受壓抑，抑制哭泣
	嬰幼兒氣喘病 Asthma, babies & children	◆恐懼生命，不想存在
	窒息 Asphyxiation	◆恐懼 ◆不信任生命過程 ◆留戀童年
	感冒／上呼吸道疾病 Cold/Upper respiratory illness	◆有很多事情同時發生，心裡因而感到混亂與困惑 ◆感受到很多細微的傷害 ◆深信自己會感冒
	流行性感冒 Influenza	◆回應消極否定的信念 ◆恐懼 ◆過於相信過去的感冒統計資料
	腺狀腫 Adenodial	◆家庭的衝突與爭執 ◆小孩認為自己不受歡迎
	支氣管炎 Bronchitis	◆激動的家庭氣氛，爭吵叫嚷 ◆偶爾很沉默
	打嗝 Belching	◆恐懼 ◆生命的步伐太快
	口腔 Mouth	表示接納新理念與滋養
	口腔問題 Mouth problems	◆頑固、無法接納新理念 ◆封閉的心靈

口腔問題	口腔周圍潰爛 Canker sores	◆抑制不講出傷人的話 ◆抑制不責備 ◆隱瞞祕密
	口臭 Bad breath/Halitosis	◆憤怒與報復的想法 ◆態度蠻橫 ◆負面的想法與經驗 ◆渴望與外界隔離 ◆迂腐而污濁的思想 ◆卑鄙的流言蜚語
	疱疹／唇疱疹 Herpes simplex／Herpes labialis	◆發牢騷 ◆尚未出口的惡毒話
	舌頭 Tongue	◆象徵品嘗生命的喜樂
	嘴唇	◆無法表達內心真正的想法，或是過度在意別人的看法
	牙齒 Teeth	◆表示決定
	牙齒的毛病 Teeth problems	◆長期猶豫不決 ◆無法分析判斷並做出決定
	牙齦的毛病 Gum problems	◆無法堅持所做的決定 ◆生命缺乏活力
	牙齦出血 Bleeding gums	◆做決定時缺乏喜悅
	牙周膿溢／牙周病 Pyorrhea／Periodontitis	◆因為無法做決定而覺得憤怒、無聊
	智齒阻生 Wisdom tooth, impacted	◆覺得心理上沒有足夠空間奠立根基
	根管 Root canal	◆無法再對任何事物著迷 ◆根深蒂固的信念被摧毀
	顎的問題／顳顎關節症 Jaw problems／Temporomandibular joint syndrome	◆憤怒怨恨，渴望報復
	牙關緊閉症 Lockjaw	◆憤怒、控制欲、拒絕表達感情
	頸部／頸脊椎 Neck／Cervical spine	代表著變通性 可以看見反面的事物

頸部問題	頸部毛病 Neck problems	◆拒絕用另一種角度了解問題 ◆固執，缺乏變通性
頸部問題	脖子僵硬 Stiff neck	◆頑固不肯屈服
頸部問題	喉嚨 Throat	◆為表達的途徑 ◆是創造性的管道
頸部問題	喉嚨的毛病 Throat problems	◆無法表達自己、抑制的憤怒 ◆創造力受壓制 ◆拒絕改變
頸部問題	咽喉 Lump in throat	◆恐懼 ◆不信任生命歷程
頸部問題	喉炎 Laryngitis	◆氣得說不出話 ◆害怕大聲說出來 ◆對權威感到憤怒
頸部問題	哮吼 Croup	◆環境中有爭執與吵鬧
頸部問題	義膜性喉炎 Membranous laryngitis	◆激動的家庭氣氛，爭吵叫嚷 ◆偶爾很沉默
頸部問題	喉嚨痛 Sore throat	◆壓抑憤怒的話語 ◆感到無法表達自我的需要
頸部問題	扁桃腺腫大 Adenoids	◆家庭不和睦 ◆小孩感覺自己不受歡迎
頸部問題	扁桃腺炎 Tonsillitis	◆恐懼 ◆壓抑的情緒 ◆創造力受到阻礙
頸部問題	甲狀腺 Thyroid	◆受到恥辱 ◆未曾得到自己想要的，不知何時才輪得到自己
頸部問題	甲狀腺腫 Goiter	◆對他人所加諸的痛苦感到憎惡 ◆有著受害者意識 ◆覺得生命遭遇挫折
頸部問題	甲狀腺機能亢進 Hyperthyroidism	◆因無法做自己想做的事而極度失望 ◆總是滿足他人，卻無法滿足自己
頸部問題	甲狀腺機能不足 Hypothyroidism	◆放棄、絕望
	脊柱 Spine	有彈性的生命支柱

脊椎問題	脊椎彎曲／脊柱側彎 Spinal curvature／Scoliosis	◆無法接受生命的支持 ◆因害怕而企圖緊握舊的思想 ◆不信任生命，缺乏堅定信念的勇氣 ◆缺乏完整性
	駝背 Kyphosis	◆對生命絕望
	椎間板突出 Slipped disc	◆覺得完全沒有生命的支持 ◆優柔寡斷
	背部 Back	◆代表生命的支持
	上背部毛病 Upper back	◆缺乏情緒支持，覺得不被愛 ◆抑制愛的感覺
	中背部毛病 Middle back	◆罪惡感 ◆受困於隱瞞的事件中 ◆渴望與外界隔離
	下背部問題 Lower back	◆對金錢感到恐懼，缺乏財務上的支持
	肩膀 Shoulders	◆用來承載喜悅，而非重荷
	圓肩／彎腰駝背 Round shoulder	◆承受生命的負荷 ◆無助感與絕望感
	身體的左側 Left side of body	◆象徵感受性、接受度、女性的活力、女人、母親
	身體的右側 Right side of body	◆耗盡了當父親、當男人的精力
手部問題	手 Hands	緊握、操作、攫取 貪得無厭和輕易放手 愛撫 掌控關於經驗的一切
	手臂 Arms	◆代表接受生命經驗的能力與掌握
	手臂肥胖 Fat arms	◆對被拒絕的愛感到憤怒
	手肘 Elbow	◆代表改變方式與接受新經驗
	手肘僵化 Elbow stiffness	◆對於表達情感產生恐懼與疑惑
	手腕 Wrist	◆代表活動與自在

手部問題	腕關節隧道症候群 Carpal- tunnel syndrome	◆對生命中表面化的不公正感到憤怒與挫敗
	手指 Fingers	◆代表生命的每個細節
	手指關節炎 Arthritic fingers	◆受害者意識，渴望受到懲罰 ◆抱怨
	大拇指 Thumb	◆代表智力與憂慮
	食指 Index finger	◆代表自我和恐懼
	中指 Middle finger	◆代表憤怒與性慾
	無名指 Ring finger	◆象徵團圓與悲傷
	小指 Little finger	◆代表家庭與偽裝
	指甲 Nails	◆代表保護
	咬指甲 Nail biting	◆挫折、氣餒並侵蝕自我 ◆怨恨父親或母親 ◆缺乏反抗的自信
胸部問題	胸部囊腫／腫瘤/結塊/疼痛 Mastitis, lumps, soreness of breasts	◆過度母性化 ◆過度壓抑，切斷滋養
	胸腺 Thymus	◆免疫系統中的主要腺體 ◆覺得自己受到生命的攻擊
	類纖維腫瘤 Fibroid tumor	◆懷抱伴侶帶來的舊創傷 ◆一個對女性的自我打擊
	乳房 Breasts	◆象徵像母親一樣的照顧、養育和滋養
	乳房囊胞／乳房結塊／乳房疼痛／乳腺炎 Breast cysts／Breast lumps／Breast soreness／Mastitis	◆拒絕滋養自我 ◆永遠把別人放在第一順位 ◆過度保護照顧 ◆傲慢
	心臟 Heart	代表著愛與安全的中心

心臟／血管問題	心臟問題 Heart problems	◆長期的情緒困擾 ◆缺乏喜悅 ◆感到緊張與壓力 ◆冷酷無情
	心臟病／心肌梗塞 Heart attack／Myocardial infarction	◆追求內外的快樂，如金錢、地位等
	動脈 Arteries	◆攜帶生命的喜悅
	動脈硬化 Arteriosclerosis	◆抗拒，且拒絕往好的一面去看 ◆緊張 ◆頑固狹隘的見解
	冠狀動脈疾病 Coronary artery diseases	◆拒絕改變 ◆對未來感到恐懼，缺乏安全感
	冠狀動脈栓塞症 Coronary thrombosis	◆感到孤單與害怕 ◆覺得自己不夠好，做得不夠 ◆覺得永遠得不到
	靜脈炎 Phlebitis	◆憤怒與挫折 ◆因自己生命中的限制與缺乏喜悅而責備他人
	靜脈曲張 Varicose veins	◆處在一個極度討厭的情境中 ◆覺得工作過度，負荷過重 ◆沮喪
	高血壓 High blood pressure	◆長期的情緒困擾沒有解決
	低血壓 Low blood pressure	◆幼年時期缺乏愛 ◆徒勞無益感，失敗主義
血液問題	血液 Blood	代表喜悅在身體中自由的流動
	血液的問題 Blood problems	◆缺乏喜悅 ◆思想不流暢
	膽固醇過高 High cholesterol	◆喜悅的管道受阻，害怕接受喜悅
	血液凝結 Blood clotting	◆中止喜悅的流動
	出血 Bleeding	◆失去喜悅 ◆憤怒
	瘀傷／瘀血 Bruises／Ecchymosed	◆生命受到衝擊 ◆自我懲罰

	充血 Congestion	◆精神混亂 ◆微小傷害
	貧血症 Anemia	◆違背本意去附和某事 ◆缺乏喜悅 ◆對生命感到恐懼 ◆過度的完美主義
	鐮刀型貧血 Sickle cell anemia	◆相信自己不夠好而摧毀了生命中的喜樂
	白血病 Leukemia	◆野蠻的扼殺靈感 ◆無力感
	單核白血球增多症／菲佛氏症／腺體熱 Mononucleosis／Pfeiffer's disease／Glandular fever	◆憤怒沒有得到愛與賞識 ◆不再愛惜自己
肺部問題	肺部 Lung	接納生命的能力
	肺部的問題 Lung problems	◆沮喪，覺得活著沒有價值 ◆悲痛 ◆害怕接納生命
	肺炎 Pneumonia	◆厭倦生命，絕望 ◆不肯去療癒情緒的創傷
	肺結核 Tuberculosis	◆因自私而衰弱 ◆極富占有慾 ◆有殘酷報復的想法 ◆無法原諒釋放的心結
	肺氣腫 Emphysema	◆害怕接納生命 ◆覺得活著毫無意義
肝臟與膽的問題	肝臟 Liver	憤怒與原始情緒所在
	肝臟的問題 Liver problems	◆習慣性抱怨，為自己的挑剔辯護 ◆自我欺騙 ◆憤怒 ◆渴望控制 ◆拒絕表達自我感受
	肝炎 Hepatitis	◆拒絕改變 ◆恐懼，憎恨 ◆憤怒（肝臟是憤怒所在）
	黃疸 Jaundice	◆偏見與理性不平衡

	膽結石／膽石症 Gallstones／Cholelithiasis	◆憤怒、悲痛 ◆固執的想法 ◆譴責與驕傲 ◆害怕接受歡樂，歡樂管道的阻塞
胃部問題	胃 Stomach	保留滋養物與消化思想
	胃的毛病 Stomach problems	◆恐懼 ◆害怕新事物，無法吸收之
	胃灼熱 Heartburn	◆覺得自己不值得快樂 ◆壓抑自己不去感受到當下的情緒變動 ◆小氣，無法和別人分享心中的任何喜悅
	胃炎 Gastritis	◆長期的不確定性與毀滅感
	胃潰瘍 Gastric ulcer	◆恐懼 ◆認定自己不夠好而極力討好他人
	反胃／噁心 Nausea	◆對某種理念或經驗恐懼並排斥
	嘔吐 Vomiting	◆思想上的劇烈排斥 ◆害怕新的事物
	胃氣脹 Flatulence	◆恐懼 ◆未充分理解的想法
脾臟與胰臟問題	脾臟 Spleen	耽溺於妄想 對事物有強迫性的觀念 討好別人 占有欲
	胰臟炎 Pancreatitis	◆代表著生命中的快樂感與排斥感 ◆因生命似乎失去而覺憤怒與挫折
	胰腺 Pancreas	◆象徵生命的甜美
	糖尿病／血糖過高症 Diabetes／Hyperglycemia	◆渴望過去可能發生的一切 ◆強烈的控制欲 ◆相當沉痛的悲傷 ◆沒有保留愉快感
	低血糖 Hypoglycemia	◆受到生活重擔的壓制 ◆徒勞無益感
腸道問題	腸子 Intestines／Bowels	代表釋放廢物 消化、吸收
	腸子的問題 Bowels problems	◆害怕釋放陳舊與不需要的東西

腸道問題	消化性潰瘍 Peptic ulcer	◆恐懼 ◆認為自己不夠好 ◆渴望討好他人
	結腸 Colon	◆對過去無法釋懷
	結腸炎 Colitis	◆有著過分苛求的父母 ◆備感壓迫與挫敗 ◆對愛有著強烈的需求感 ◆沒有安全感 ◆象徵讓已結束的輕易流逝
	黏液結腸 Mucus colon	◆堆積著老舊與混亂的思想，因而阻塞了排泄管道 ◆耽溺於過去膠著的困境之中
	痙攣性結腸炎 Spastic colitis	◆對於過去無法釋懷而心懷恐懼 ◆缺乏安全感
	迴腸炎／局部腸炎 Ileitis／Regional enteritis	◆擔憂恐懼 ◆覺得自己不夠好
	盲腸炎 Appendicitis	◆恐懼生命 ◆阻止好事發生
	疝氣 Hernia	◆破裂的人際關係 ◆緊張、重擔 ◆無法適當表達自己的創造力
	消化不良 Indigestion	◆強烈的恐懼與焦慮 ◆腸胃絞痛且發出咕嚕聲
	便祕 Constipation	◆困於過去之中，拒絕放下舊思想 ◆有時很吝嗇
	痢疾 Dysentery	◆恐懼和極度的憤怒 ◆排斥並責難
	阿米巴痢疾 Amoebic dysentery	◆一種未知、莫名的恐懼 ◆過於相信神鬼之說
	桿菌痢疾 Bacillary dysentery	◆壓抑和絕望
	霍亂 Cholera	◆害怕在沒有防備的情況下被攻擊
	食物中毒 Food poisoning	◆讓別人掌握了控制權 ◆感到不能自衛的
	腹瀉 Diarrhea	◆恐懼、拒絕、流逝

	腹部痙攣 Abdominal cramps	◆恐懼 ◆生命活動中止
	急性腹痛／疝氣 Colic	◆心理上受到環境的刺激而感到急躁與困擾
	條蟲病 Tapeworm	◆強烈覺得自己是受害者，而且不乾淨 ◆對他人的表面作為感到無助
	寄生蟲 Parasites	◆把權利交給別人、讓他人掌控
腎臟問題	腎臟問題 Kidney problems	◆批判 ◆失敗絕望 ◆羞恥，幼稚的舉動
腎臟問題	腎結石 Kidney stones	◆難解的憤怒
腎臟問題	布萊德氏腎病 Bright’s disease	◆自覺像個做不好的小孩，覺得自己很失敗 ◆失落
腎臟問題	腎炎 Nephritis	◆對失望與失敗反應過度
腎臟問題	瘻管 Fistula	◆恐懼 ◆在釋放過程中遭遇阻礙
腎臟問題	愛迪生氏病 Addison’s disease	◆嚴重的情緒失調 ◆對自己感到憤怒
腎臟問題	腎上腺問題 Adrenal problems	◆失敗主義者，不喜歡自己 ◆焦慮
腎臟問題	液體滯留 Holding fluids	◆恐懼失去 ◆對外界感到不安 ◆無法肯定自己
腎臟問題	浮腫／水腫 Swelling／Edema	◆困在思緒之中，充塞痛苦的想法 ◆被思想拌住了 ◆堵塞的、痛苦的思想 ◆不願放下某人或某事
腎臟問題	克興氏症 Cushing’s disease	◆過多的破壞性想法導致心理不平衡 ◆覺得受到壓制，被擊敗的感覺
	膀胱疾病 Bladder problems	◆焦慮 ◆緊抓舊思想，害怕放下 ◆自覺受人討厭

膀胱／尿道問題	泌尿系統感染／膀胱炎／腎盂炎 Urinary infections／Cystitis／Pyelonephriti）	◆感覺孤立 ◆通常是感到受異性或愛人排拒 ◆指責他人
	尿床／遺尿症 Bed-wetting／Enuresis	◆對父母感到恐懼，通常是對父親畏懼
	失禁 Incontinence	◆釋放 ◆情緒失控 ◆缺乏自我滋養
	尿道感染 Urinary-tract infection	◆對異性或情人感到厭煩，並責備之
	尿道炎 Urethritis	◆憤怒、責備 ◆感覺自己不受歡迎
生殖器官問題	生殖器 Genitals	代表男性與女性特質
	生殖器問題 Genitals problems	◆擔心自己不夠好
	睪丸 Testicles	◆男性主義，男子氣概
	前列線 Prostate	◆象徵男性的原則
	前列線問題 Prostate problems	◆心理的恐懼減弱了男子氣概 ◆放棄 ◆性的罪惡感與困擾 ◆擔心變老
	攝護腺 Prostate gland	◆男性主義
	攝護腺毛病 Prostate gland problems	◆心理上擔心失去男性氣概 ◆放棄 ◆性壓力與罪惡感 ◆在意年老
	陽痿 Impotence	◆性的壓力、緊張與罪惡感 ◆受社會觀念的影響 ◆對前任配偶有著怨恨 ◆對母親感到恐懼

女性問題	女性的問題 Female problems	◆自我否定 ◆排斥女性特質與女性主義
	卵巢 Ovaries	◆代表創造
	子宮 Uterus	◆是創造力的溫床
	子宮腫瘤和囊腫 Fibroid tumors & cysts	◆從伴侶而來的傷害 ◆女性自我意識的幻滅
	子宮內膜組織異位 Endometriosis	◆沒有安全感 ◆失望和挫折感 ◆用糖來取代自愛 ◆指責者
	月經的問題 Menstrual problems	◆排斥女性特質 ◆有罪惡感與恐懼感 ◆認為生殖器是罪惡與污穢的
	經前症候群 Premenstrual syndrome (PMS)	◆受外在力量影響而感到困惑 ◆對女性生理過程排斥
	經痛，月經困難 Dysmenorrhea	◆對自己生氣 ◆憎恨自己的身體或性別
	無月經 Amenorrhea	◆拒絕自己的性別 ◆不喜歡自己
	不孕症 Sterility	◆對生命的過程感到害怕與抗拒 ◆不想要經歷養育子女的經驗
	分娩 Birth	◆象徵人生新的階段
	流產／墮胎 Miscarriage／Abortion	◆恐懼，對未來感到害怕 ◆時機不當
	更年期毛病 Menopause problems	◆擔心不再被需要 ◆害怕變老 ◆自我排斥，覺得自己不夠好
	陰道炎 Vaginitis	◆對配偶感到憤怒 ◆因性的罪惡感而自我懲罰
	白帶 Leukorrhea	◆認為女性無法超越男性 ◆對配偶感到憤怒
	陰戶 Vulva	◆代表著弱點

性病問題	念珠菌症 Candidiasis／Yeast infection	◆否定自我的需求 ◆不支持自己 ◆精神渙散，感覺很混亂 ◆挫折與憤怒 ◆對關係有所要求，要求很多 ◆予取予求 ◆不信任
	性冷感 Frigidness	◆恐懼 ◆對享樂否定 ◆覺得性是不好的 ◆伴侶很冷漠
	性病 Venereal disease	◆因性的罪惡感而覺得需要受懲罰 ◆認定生殖器事罪惡與骯髒的 ◆虐待他人
	愛滋病 AIDS	◆自我否定 ◆有性的罪惡感 ◆極度覺得自己不夠好 ◆不受關懷
	梅毒 Syphilis	◆因性的罪惡感而尋求懲罰 ◆放棄自己的權利和效率
	淋病 Gonorrhea	◆感到罪惡而渴望懲罰
	疱疹 Herpes	◆因性的罪惡感而尋求懲罰 ◆受到來自公眾的羞辱 ◆相信存有一個懲罰的神 ◆排斥生殖器
肛門問題	肛門 Anus	排泄點 覺得它是骯髒的地方
	肛門膿瘡 Anal abscess	◆因不想釋放而感到憤怒 ◆沉溺於傷害、侮辱與報復的想法中
	肛門瘻管 Anal Fistula	◆廢物沒有完全釋放，緊抓著過去的垃圾 ◆無法釋懷過去心靈的負面能量
	肛門發癢／疥癬 Anus itching／Pruritis ani	◆對過去有著罪惡感與悔恨
	肛門疼痛 Anus pain	◆因罪惡感而渴求懲罰 ◆覺得自己不夠好
	痔瘡 Anorectal bleeding／ Hematochezia／Hemorroids	◆憤怒與挫折感 ◆恐懼截止日期 ◆對過去感到憤怒而無法釋懷 ◆感覺身懷重擔

臀部問題	臀部 Hips	完美而均衡的承載身體，代表信任感 向前移動的主體
	臀部的毛病 Hip problems	◆做重大決定時害怕向前進，缺乏前進的目標
	臀部肥胖 Fat hips	◆對父母感到倔強的憤怒
	坐骨神經痛 Sciatica	◆偽善 ◆對財務問題和未來感到恐懼
	屁股 Buttocks	◆象徵權利 ◆認為放鬆屁股即失去權利
	骨盆 Pelvis	◆與人際關係有關的能量中心點
	骨盆問題 Pelvis problems	◆人際關係產生狀況 ◆無法坦然對某人表態
	骨盆腔炎 Pelvic inflammatory disease	◆對性的不滿與排斥 ◆否絕自己的女性特質 ◆覺得自己不夠好
骨頭問題	骨頭 Bones	象徵天地萬物的基本架構
	骨頭的問題 Bone problems	◆失去信賴點與支撐力
	骨骼 Skeleton	◆代表著生命的結構
	骨髓 Bone marrow	◆象徵對於自我最深的信念
	骨髓炎 Osteomyelitis	◆對生命的一切感到憤怒與挫折，覺得沒有得到支助
	骨折 Bone breaks／Fractures	◆反抗權威
	骨骼畸形 Bone deformity	◆心理壓力與緊張，肌肉無法舒張 ◆失去心理機動性
	骨質疏鬆症 Osteoporosis	◆覺得生命欠缺支持
	佩吉特氏症／骨骼退化 Paget’s disease	◆感覺沒有施力點 ◆感覺不被關心
	佝僂病 Rickets	◆情緒失調 ◆缺乏愛和安全感

肌肉問題	肌肉 Muscles	抗拒新的生活經驗 象徵我們在生命中的活動能力
	肌肉的營養失調 Muscular dystrophy	◆成長是不值得的
	扭傷 Sprains	◆憤怒 ◆抗拒，不願改變生命的方向
	肌肉萎縮性脊髓側索硬化症 Amyotrophic lateral sclerosis／Lou Gehrig's disease	◆無法接受自我價值 ◆否定成功
	小兒麻痺 Polio	◆萎縮的嫉妒感 ◆欲阻止某人
	身體僵硬 Stiffness	◆固執與僵化的思考
	肌肉萎縮症 Muscular dystrophy	◆極度恐懼 ◆失去信心與信賴感，瘋狂的想控制每件事情與每個人 ◆深層的安全感需求不被滿足
	多發性硬化症 Multiple sclerosis	◆心智僵硬 ◆硬心腸 ◆鋼鐵般的意志 ◆缺乏彈性 ◆恐懼
	痙攣 Spasms／Seizures／Cramps	◆緊張恐懼 ◆堅持 ◆渴望逃離家庭、自我、生命
	破傷風／僵直性痙攣 Tetanus	◆憤怒 ◆渴望控制 ◆拒絕表達感受 ◆需要釋放憤怒與痛苦的想法
關節問題	關節 Joints	代表生命方向的改變與自在的行動
	關節炎 Arthritis	◆覺得不被愛 ◆遭受批判與怨恨
	痛風 Gout	◆控制欲、不耐煩、憤怒
	風濕關節炎 Rheumatoid arthritis	◆深受權威的批判 ◆覺得遭人利用
	風濕症 Rheumatism	◆長期的悔恨、痛苦與怨恨 ◆受害者意識，缺乏愛

	類風濕性關節炎 Rheumatoid arthritis	◆極度批判權威 ◆遭受欺騙之感
	黏液囊炎 Bursitis	◆憤怒、想打人
腿部問題	腿 Legs	帶我們在生命中前進
	大腿的毛病 Leg problems	◆懷抱著幼年的創傷
	橘皮組織 Cellulite	◆壓抑的憤怒和自我懲罰，往往跟女性自己不喜歡被物化但卻接受有關 ◆覺得自己無法變得更好
	大腿肥胖 Fat thighs	◆充滿兒時的憤怒 ◆常常對父親發怒 ◆對女性情慾的壓抑與否定
	膝蓋 Knee	◆代表著驕傲與自我
	膝蓋的毛病 Knee problems	◆固執與傲慢，不願屈服 ◆無法彎曲，缺乏彈性 ◆恐懼
	小腿的毛病 Lower leg problems	◆害怕未來 ◆不想移動
	脛骨 Shins	◆理念瓦解 ◆象徵生命的標準
	腳踝 Ankles	◆代表機動性與方向
	足部 Feet	◆代表我們對生命、自己與他人的理解
	足部的毛病 Foot problems	◆對未來感到恐懼，不敢跨步前進
	腳癬／香港腳 Ringworm of the foot／Athlete's foot	◆因不被接納而感到挫折 ◆無法自在的前進
	腳趾 Toes	◆代表未來的一些小事件 ◆缺乏自信與支援
	內嵌趾甲 Ingrown toenail	◆對自己的權利感到憂慮與罪惡感
	拇趾外翻／拇囊腫 Bunions	◆生命缺乏喜悅

	足底的疣 Wart	◆憤怒 ◆對未來感到挫折
淋巴問題	淋巴系統的問題 Lymph system problems	◆警告心靈必須重新回歸生命的本質愛與喜樂上 ◆代表著愛與喜悅
	淋巴管問題 Lymphatic vessel problems	◆深度的後悔 ◆覺得人生缺乏愛與平靜
	淋巴癌 Lymphoma	◆無法寬恕與忘懷 ◆一直覺得人生缺乏應有的支援 ◆覺得人生永遠總是少了點什麼 ◆覺得人生沒意義並為此感到憤怒
	霍金氏病 Hodgkin’s disease	◆責備自己，因對自己不夠好而產生極大的恐懼 ◆為了自我正名而瘋狂的競爭，直到生命枯竭 ◆無法支持自己 ◆在競爭中遺忘了生命的喜悅
皮膚問題	皮膚 Skin	保護我們的個人特質與敏感的器官
	皮膚問題 Skin problems	◆恐懼焦慮，感覺受到威脅 ◆舊有的、隱藏的不愉快
	麻木／皮膚感覺異常 Numbness／Paresthesia	◆壓抑愛和體貼 ◆精神委靡
	壞疽 Gangrene	◆心理的疾病 ◆以惡毒的想法壓抑喜悅
	發癢 Itchiness／Tickle	◆不滿足，渴望反抗、自責 ◆懊悔 ◆渴望逃離 ◆事與願違
	老繭 Callous	◆深根蒂固的思想觀念 ◆被強化的恐懼
	硬皮病 Scleroderma	◆覺得自己受到他人的激怒與威脅，未受保護，缺乏安全感，需要被保護
	過敏症 Allergies	◆厭惡某人 ◆否定自己的能力
	發疹 Rash	◆因猶豫延遲而感煩躁 ◆用幼稚的行為引起他人注意
	濕疹 Eczema	◆激烈的對抗 ◆心理上的出疹
	蕁麻疹／風疹 Hives／Urticaria	◆隱藏的小恐懼 ◆小題大作

皮膚問題	牛皮癬/乾癬 Psoriasis	◆害怕受到傷害 ◆扼殺自我與感覺 ◆拒絕為自己的感覺負責任
	金錢癬 Ringworm	◆允許他人激怒自己 ◆覺得自己不夠好或不夠乾淨
	疥癬／疥瘡 Scabies	◆受污染的思想 ◆允許別人徹底打敗你 ◆易受他人激怒與影響
	輪癬 Ringworm	◆允許別人徹底打敗你 ◆覺得自己不夠好或不夠乾淨
	白斑病 Vitiligo	◆感到完全置身事外 ◆欠缺團體的歸屬感
	紅斑 Carbuncle	◆對於不公正感覺憤怒
	潰瘍 Sores／Ulcers	◆恐懼 ◆極度認為自己不夠好 ◆受到侵蝕 ◆未表達出習慣性的憤怒
	凍瘡／發燒水泡 Cold sores／Fever blisters	◆醞釀憤怒的言語卻害怕表達出來
	鵝口瘡 Thrush	◆為錯誤的決策感到憤怒
	帶狀疱疹 Shingles	◆唯恐禍不單行 ◆恐懼和緊張 ◆太過敏感
	水痘 Vari-cella	◆許多恐懼與緊張，期待災難的到來 ◆因為過去的事件感到懊惱與罪惡感，因此自我嫌惡、害怕被遺棄
	疔 Boils／Furuncle	◆受到冤枉而感到憤怒
	疣 Warts	◆厭惡的表現 ◆覺得自己很醜陋
	膿胞 Cysts	◆痛苦的人生、生命的創傷
	灼傷 Burns	◆被激怒，憤怒發火
	水腫／水疱 Blisters	◆抗拒 ◆缺乏情緒的保護

	體臭 Body odor	◆恐懼 ◆不喜歡自己 ◆對他人感到恐懼
	蟲子咬傷 Bug bites	◆對小事情的罪惡感
	擦傷 Scratches	◆感覺深陷生命這場騙局而無法掙脫
	割傷 Cuts	◆無法自律而遭受懲罰
情緒問題	焦慮 Anxiety	◆不信任生命的過程
	冷漠 Apathy	◆使自己的感覺遲鈍，排斥有感覺 ◆恐懼
	哭泣 Crying	◆眼淚是生命的河流，喜悅、悲傷或恐懼都會流淚
	憂鬱 Depression	◆對於無法擁有的感到憤怒、絕望
	過動症 Hyperactivity	◆恐懼 ◆感到受壓迫，幾欲發狂
	神經崩潰 Nervous breakdown	◆心中無力感太重導致無法運作 ◆自我中心 ◆溝通管道受阻 ◆逃避現實
	神經質 Nervousness	◆恐懼、焦慮、掙扎、急忙的 ◆不信任生命過程
	精神異常／精神疾病 Insanity／Psychosis	◆逃離家庭 ◆退縮，逃避現實 ◆渴望脫離生活
其他傳染疾病問題	傳染病 Contagious disease	◆煩躁、憤怒與煩惱
	感染 Infection	◆惱怒、憤怒、煩惱
	病毒感染 Virus infection	◆欠缺喜樂流過生命 ◆悲苦
	人類皰疹病毒/EB病毒 Epstein-barr virus	◆超越個人極限 ◆害怕不夠好 ◆所有內在支撐都枯竭了 ◆壓力

	痲瘋病 Leprosy	◆無法掌握生命 ◆長期覺得自己不夠好、不夠乾淨
	瘧疾 Malaria	◆生命的失衡 ◆和世界失去同步性、與世界為敵
	真菌病／黴菌感染 Fungal infection	◆腐敗的信仰 ◆被過去束縛，而無法活在當下
	破傷風 Tenatus	◆被壓抑的憤怒，並且拒絕表達情感 ◆不信任生命，對過去感到後悔與懊惱 ◆以暴治暴
	麻疹 Measles	◆感到不安全、被背叛、被拒絕、被攻擊 ◆對無法做自己而感到悲傷
其他問題	受傷 Injuries	◆對自我感到憤怒、罪惡感
	傷口 Wounds	◆對自我感到憤怒和罪惡感
	咬傷 Bites	◆恐懼 ◆存在每一個輕蔑的可能性
	動物咬傷 Animal bites	◆隱藏內心的憤怒 ◆渴望被懲罰
	絕症 Incurable	◆無法藉外在方法醫治，必須進入內在給予自我療癒 ◆一切從虛無來，亦將歸於虛無
	癌症／腫瘤 Cancer/Tumour	◆很深的傷害與創傷 ◆長久的怨恨一切 ◆受到深層祕密與罪惡感的侵蝕 ◆背負憎惡與無用感而感到憤怒 ◆極度渴求愛、對愛上癮 ◆懷抱舊的創傷與衝擊 ◆怨恨
	結節 Nodules	◆對工作不滿、挫敗與自我意識受傷的感覺
	慢性病 Chronic diseases	◆拒絕改變 ◆對未來感到恐懼 ◆沒有安全感
	先天性殘缺 Birth defects	◆自己選擇以這樣的方式來到世上 ◆我們選擇了自己的父母 ◆未完成的事業
	虛弱 Weakness	◆心靈需要休息

其他問題	疲倦 Fatigue	◆厭倦生命、喪失目標與方向
	兒童的疾病 Children disease	◆相信社會觀念與錯誤的規範 ◆周圍的大人有幼稚的行為 ◆反映周圍大人的問題
	老化的問題 Aging problems	◆強調社會觀念 ◆守舊 ◆思想老化，抗拒現在 ◆害怕面對真實的自己
	衰老 Senility	◆希望受到關注與照顧 ◆一種控制別人的方式 ◆逃避現實
	自殺 Suicide	◆無法彈性的看待生命 ◆拒絕找出其他解決之道
	意外事故 Accidents	◆無法自我表達 ◆崇信暴力 ◆反抗權威
	死亡 Death	◆象徵離開生命的舞台
	過勞死 Karoshi/Death from overwork	◆感到自己沒有價值，自我拒絕 ◆需要證明自己的存在
	藥癮 Drug addictions	◆逃避自我 ◆無法愛惜自己
	酗酒 Alcoholism	◆自我排斥，無價值感 ◆罪惡感 ◆不完整感
	耽溺嗜好 Addiction	◆自我排斥，不知如何愛自己 ◆恐懼
	疲勞 Fatigue	◆抗拒 ◆厭煩 ◆缺乏愛的關懷
	囊腫性纖維化 Cystic Fibrosis	◆強烈的感到生命不眷顧自己，覺得自己很可憐
	寒顫 Chills	◆精神的牽絆 ◆想退縮 ◆渴望與外界隔離
	循環 Circulation	◆象徵積極的感受和表達感情的能力

發炎／炎症 Inflammation	◆恐懼、突然發怒 ◆易被激怒的思考 ◆對自己生命中所看見的狀況感到憤怒與挫折
發燒 Fever	◆憤怒發火 ◆對外界的反抗
嗜眠病 Narcolepsy	◆無法應對 ◆感到極端恐懼 ◆想完全逃離，不願留在此地
失眠症Insomnia	◆恐懼 ◆不信任生命過程 ◆罪惡感
口吃 Stuttering	◆不安全感 ◆不被允許哭泣，缺乏自我表達
疫苗反應 Vaccination Reaction	◆覺得自己之前所犯的過錯感需要被懲罰
紅斑性狼瘡 Lupus Erythematosus	◆放棄 ◆寧死也不肯為自己站出來 ◆憤怒與懲罰

註：以上資訊彙整，引用自下列著作以及我個人的臨床經驗：

(1)《身體密碼》，戴比．沙皮羅（Debbie Shapiro）著，采竹文化

(2)《疾病的希望》，托瓦爾特．德特雷福仁（Thorwald Dethlefsen）、呂迪格．達爾可（Rudiger Dahlke）合著，心靈工坊

(3)《創造生命的奇蹟》、《身體調癒的訊息》，露易絲．賀（Louise L. Hay）著，天鏡文化

【附錄二】王博士身心靈課程介紹

第一階段課程

▲一階　放下【情緒排毒．改變命運】101

美國地產大亨唐納．川普說過：「贏家和輸家的差別，端看一個人在面對命運轉折時，所做出的反應。」

股神巴菲特也曾說過：「如果你無法控制你的情緒，你就無法控制你的金錢。」因此，當我們面對選擇時，能夠不被負面情緒所影響，是決定你人生成功與否的重要關鍵！

當你的理想與現實兩相不符時，負面情緒就會在此刻生成。當壓力來臨時，身體會自動轉為防禦機制，經由自律神經的直接反應啟動「戰或逃」反應；而我們的血液會因自律神經的高度活絡，流向四肢的肌肉，而剩下在大腦的血液，往往只足夠供給滿足原始反應的爬蟲腦而已。試想，在這樣的情況下，我們能做出多有智慧的決定呢？

而當身體暴露於強大的壓力下，久而久之，就會累積成疾病。

能夠擁有真實有效的技巧來處理你的壓力與負面情緒，是生活在現代的人不可或缺的能力，但是，學校與家庭從來都沒有教導你該怎麼做。

「吸引力法則」簡單而論說：正面情緒帶來正面結果。所以反過來說：身體、心理與心靈總是充斥著負面情緒的人，會帶來負面結果。所以假設你擁有著覺得工作不滿意、感情不順利、健康出毛病等等的負面想法與狀況，你必須要從根基——情緒層面做處理才是根本之道。

加拿大自然醫學博士王佑驊在多年諮詢經驗中，找到了情緒與身體健康之中連結的奧祕，並將這些年來所領悟到的心得集結而成《不開心，當然會生病：情緒排毒治百病》一書，經由文字闡述出，如何透過情緒的平衡，幫助讀者找回身心健康。

※一位來自澳洲的學生，在面對新的工作環境時衍生出恐慌症，導致她莫名的頭痛、心痛、睡不著、全身發抖、眼神呆滯，狀況最差時甚至出現自殺的念頭，希望停止這一切的痛苦。她試過中、西醫療法全都無效，平常只能靠西藥控制症狀。但是，在上完王博士的【一階 放下】課程，回家努力地使用【EFT 情緒釋放技巧】以及【聖多納方法】消除了對於工作與面對人群的恐懼後，不消兩星期的時間，透過情緒排毒，上述所有身體上的不適悉皆消除。現在的她，不但白天積極拓展業務，且晚上已可自行入眠，完全無需仰賴安眠藥。

※一位女孩喜歡上在美國工作的男孩，可惜落花有意、流水無情。某年跨年前，男生因不明原因執意要回美國，兩人因為多次爭吵而導致即將分手的局面。這位女生在情緒崩潰的情況下透過朋友介紹而求助於王博士，希望王博士能終止她自殘的行為。王博士透過 Skype 帶領她使用【EFT 情緒釋放技巧】進行敲打，釋放掉她的焦慮、恐懼與擔心後，幾天後，男生竟然自行決定留下來陪她到台北一〇一跨年，一圓她的心願。而目前兩人已準備結婚。

※王博士也曾處理過一個對工作滿腹怨懟的高階財務主管，她因捲入公司高層貪污洩密的職場鬥爭中，而面臨免職與官司的嚴重危機。在她得知總公司即將下達此人事命令時，第一時間來尋求王博士的協助，在一小時的情緒釋放後，她原本極度恐懼和擔憂的心情回復平靜。最後，公司竟然給她一筆優渥的封口費，並且讓她調職到她一直想去的英國分公司。

簡單來說，只要能量塞住了，人的身心就會出問題。身體要排毒，心靈更是要排毒，只要能將心中的情緒毒素排除，你就會因為身心靈能量流動順暢，你的健康、關係與金錢方面將會出現驚人的轉變。對於想要心想事成的朋友來說，這更是個簡單、有效，並且可以自助助人的課程。

鐵娘子柴契爾夫人曾說過：「思想會化成語言，語言會化成行動，行動會變成習慣，習慣會變成個性，而個性會決定命運！我們想什麼，就會造就自己成為什麼樣的人。」

人生的選擇，往往比努力來的重要多了。選擇好的老師與課程可以幫助你事半功倍。在王博士的課程中，你將學習到如何覺察理想與現實之間的差別，重新整理出新的人生價值觀，透過真正有效的情緒釋放技巧，你會得到放下的力量，找到人生的目標使命感。

如果你已經準備好要讓自己的人生變得更美好自在的話，王博士在這邊誠摯的邀請你來到新的世界。

因為你值得。

☆特別收錄　**放下，是吸引力法則的關鍵**

依照吸引力法則的始祖亞伯拉罕說，想要心想事成，其實很簡單。

你只需要三個步驟：

一、許願。

二、交給宇宙幫你完成。

三、接納成果。

但實際上我們都知道：沒那麼簡單。

在我不斷地研讀深入所有亞伯拉罕的教導後，我發現，他們的教導中，最最最強調的也是第三個步驟。而那個關鍵步驟在講的就是「放下」。

為什麼放下如此重要？因為當你有一個你目前沒有能力達成的欲望時，你的心中就會出現一個衝突的意圖（比如說，你會想中樂透，但是你心中可能會出現：「這種好康怎麼會輪到我？」這個想法就是衝突意圖）。而這個衝突意圖所產生的能量（負面情緒），會吸引到你所不想要的結果，導致「負面」的心想事成。

所以想要心想事成，必須讓你的內在與外在合一，你想要的跟你的內在不再產生衝突，這時候，宇宙幫你完成的願望，才能送達給你。而這個關鍵，也就是《秘密》一書所沒提到的祕密。也是坊間課程一直都沒有專注到的部分。

想了解跟學習更多關於放下的技巧來幫助你釋放負面情緒，讓你內外合一、讓你的人生更豐盛嗎？王佑驊博士會在他的經典課程【一階　放下】中傳授控制情緒的方法，讓你重拾你在財富、感情與人生的主控權！

☆一階　放下【情緒排毒．改變命運】課程內容：

- 破解「人生到底哪裡怪怪的？」
- 找到自己生命中的價值／信念
- 了解疾病與情緒的關聯：實際案例分析
- 如何精準找到自己的情緒
- EFT 情緒釋放技巧／Sedona's Method 聖多納釋放法
- 強效版 EFT 操作技巧

- 了解自己目前的極限
- 如何正確設定目標才不會害到自己
- 吸引力法則到底吸引的是什麼？
- 正面思考無效的原因
- 你想當一直清除一直清除一直清除的、沒完沒了的偏執狂嗎？
- 鞋帶也可以幫你釋放情緒？
- 使用念力幫自己和別人做情緒釋放
- 釋放效果不明顯時的疑難排除
- 突破信念障礙之牆
- 如何改變信念／價值觀
- 金錢問題的實際操作
- 健康問題的實際操作
- 關係問題的實際操作
- 透過放下來心想事成

▲一階　重設【LRT 生命重設技巧】102

這是一堂可以幫助你學習到跟宇宙意識溝通，進而修改人生種種方面（金錢、感情、事業）的課程。這也是王博士「量子深層轉化」的核心基礎課程之一。

舉凡疾病的產生或是運勢低落，通常是身心靈之間，或是和宇宙能量互相作用影響下，透過身體和周遭事件做出的反映與表達方式。

【LRT】具有以下特色：

1.沒有任何通靈與宗教的成分

很多人聽到「神性」二字，就擔心會不會跟宗教有關連？會不會要學通靈？

其實不然。本療癒法無需任何宗教背景或進行任何宗教儀式，人人都可以學習，因為每個人生來都有跟宇宙意識能量連結的能力，只是你從來都不知道怎麼做而已。

【LRT】會針對潛藏在我們身心靈中的各種障礙，一一進行全方位的清除，尤其是健康方面，而這些障礙往往是在傳統醫學中尚未被列入考量的因素。

課程中你將會學習到身心靈中潛藏的十五種【關鍵障礙】管道，並會實際操作完整過程。本課程不需具備任何宗教信仰，現場即可感受到清除身心靈障礙後的神奇體驗。

2.不需具備任何氣功背景亦可學習

【LRT】之所以有效，是透過宇宙最高的力量來運作，完全不需要損耗自身能量，卻可以同時達到淨化、清除、轉化、提升的效果！學員不需要像氣功修練一樣花費長時間才會有效果。因為你將學到如何運用宇宙意識的能量，而同時，這也是讓【LRT】發揮最大效果的關鍵！

3.不僅療癒自身，還能夠針對他人進行具象化的遠距操作

這就是【LRT】最神奇的地方！不但能夠對自己本身進行操作，亦能夠在欲療癒之對象完全不知情的情況下，幫助對方清除與轉化障礙，而且效果一樣好！

原則上，只要有具體的人、事、物、目標，即不會受限於任何時空，都可以進行身心靈障礙的清除！是一種幾乎完全無限制條件的神奇技巧！

4.可搭配世間所有其他療癒法使用

學習【LRT】，並不需要捨棄你原本就會的療癒技巧。反之，更可以搭配【LRT】讓你原本的技巧事半功倍！而且沒有技巧上的限制。

課程中將會教授與脈輪和十二經脈的搭配法，引導學員們舉一反三。

而這一切，都只是透過內在神性的引導！

因為此技巧可應用之範圍極為廣泛，所以課程中，王博士除了詳細的理論傳承與實務操作以外，將會針對此技巧能夠應用的可能範圍加強討論，包含健康、人際關係以及金錢方面的實務應用，讓學員能夠更加活用【LRT】！

這將會是你在現實生活中見到最接近所謂神蹟或魔法的課程！

▲一階　逆轉【關鍵能量．逆轉人生】103

愛因斯坦著名的相對論 $E=MC^2$ 指出：能量和物質是「可以互換」的。所以從相對論我們得知：世上的一切都是「能量」組成的。其中包含了你的運勢、桃花、金錢、健康。

每一個能量都有它非常獨特的運作與流動方式，因人而異，獨一無二。而你所「不想要的能量」也理所當然存在著，並且也一樣用著自己特殊的模式存在，而這就是我們所在尋找的「目前影響你運勢的關鍵能量」。

想想，如果你能找到這個把你的運勢推向負面發展的最關鍵能量，把原本不好的能量運行方式「逆轉」成好的運作方式呢？或是如果可以把原本已經很好的狀態讓它好上加好呢？

在這【一階　逆轉】的課程中，我會教你怎麼找到屬於你自己關鍵能量的流動方向！你將學習到，如何把你不想要的能量流動逆轉成你想要的方向，進而改變你的人生！

課程裡除了教導這特別的基本逆轉技巧外，你還會學到七個應用的輔助技巧，幫助你可以把【一階　逆轉】課程中所學到的技巧，充分靈活地運用到生活的各個層面，有效改善你運勢、感情、金錢、事業、家庭、健康、情緒等等各方面的問題。甚至，如果你曾經想知道目前人生的課題究竟要教導你什麼，或是帶給你什麼訊息，這七個應用技巧也會幫助你了解這些問題背後的意義，讓你找到人生的方向。

小心課程資訊衝擊你的大腦，用最簡單的方式改變你的命運！

※曾經有一位女士求助王博士，希望透過身心靈的方法來達成減肥的效果。王博士教導她做了簡單的情緒釋放，並傳授她部分的【能量逆轉技巧】；女士在第二天開始、在沒有使用任何藥物以及健康食品和運動的情況下，幾乎每天都有〇．一至〇．三公斤不等的體重指數在下降！

※也有另外一位嚴重情傷的女性「敗犬」個案，在王博士傳授基礎的【能量逆轉技巧】後，不到一個月就吸引到五位男士的熱烈追求，讓她受寵若驚，情傷早就拋諸腦後了。

【能量逆轉技巧】是一個簡單且效果驚人的技術，一旦再搭配王博士精心調製的「魔法配方」，更是能達到近乎隨心所欲的境界！

☆王博士一階三個課程有和不同呢？

「放下」是一切的根本，當你想要實現你當下能力不所及的願望，學會放下的技巧，是幫助你夢想成真的最速捷徑，所以，了解何謂放下以及熟練放下的技巧非常的重要。本課程適合真心想了解心靈成長以及渴望夢想實現的人。

「逆轉」是一個簡單又實用的心想事成能量技巧，如果你是個懶人，又想來我的課程試試水溫，這是個好選擇。但是層面跟其他課程就相對的比較簡單。（課程簡介請繼續往下看）

「重設」則牽扯了比較複雜的層面（身、心、靈、能量、宇宙），你會學到如何測試與操控以上五種層級的能量，可以對自己與別人操作（包括給別人好運與壞運，增加桃花與財運等），加強你的直覺力與預知力。本課程適合想在現實生活中擁有魔法師般能力的人。

「逆轉」與「重設」若能搭配「放下」的心法，你的功力會大幅增強。

以上是我簡單敘述一階三個課程的差別。每一個課程都會讓你透過舉一反三的方式，有相當程度的能力改變你的人生現況。

☆一階課程【情緒排毒．改變命運】誰最適合來參加？

- 舉凡運勢低落者
- 對自己未來前途很迷茫者
- 想找到生命價值觀者
- 想更加了解疾病與情緒關聯者
- 想追求內在平靜與自在者
- 渴望生命過得更美好者
- 想要更加了解神性並與神性合一者
- 想更了解吸引力法則運作者
- 想跟內在小孩／過去創傷和解者

- 想要學習快速、有效的技術與方法來實現心願者
- 一直想要改變目前現狀卻無法改變者
- 想要幫助自己改變命運者
- 想要更快速釋放／調節本身的負面情緒者
- 容易被能量干擾者

第二階段課程

▲二階　轉化【意念轉化・神奇創造】201

本課程總共分為兩個重點：

1. 意念轉化

你是否常常腦海中會出現一個若有似無的疑問，就像電影《駭客任務》中的主角一樣，總覺得這個世界有點怪怪的，不過就是不知道怪在哪裡？

在課程的前半段，將會利用哲學、量子力學……等，各種角度，帶領你探討以下長期在你心中若有似無的疑問：

一、「我」是誰？

二、為什麼「我」會在這裡？

三、「我」來到這裡的意義是什麼？

課程上將使用大量的資訊「轟炸」你的腦袋，讓你了解一切的「真相」！

當你了解真相後，就會清楚的發現，在生命的軌跡中隱藏著一個我們自己的創作，稱為「人生的劇本」或是「藍圖」。原來在我們的生活中，一切的障礙、不順利與不舒適，都是在於劇本中原本就被設計好的「原廠設定」。

2. 神奇創造

既然已經得知「真相」，並且了解到一切的不完美來自於「完美的我」。

如果能夠有方法讓自己與「完美的我」進行溝通，合作調整我們的「原廠設定」、重新改寫我們「人生的劇本」，將會讓你的生命出現多大的改變？

這將會是【意念轉化．神奇創造】課程中最為神奇且實用的精華所在，你將會學習到五種「技巧與工具」，協助你進行生命的改造，並且不受限於任何時空背景，隨時可以在你生命中感受神奇的創作！

註：欲上本課程需先上過【一階　放下】。

▲二階　進階【意念轉化．神奇創造】進階班 202

在這進階的課程裡，我們會加強讓學員在金錢、關係、健康等等的概念與思維能夠更加的內化。而除了五種基本轉化創造技巧之外，更會傳授只有進階班才有的四大轉化技巧。

註：欲上本課程需先上過二階　轉化【意念轉化．神奇創造】初階班 201。

第三階段課程

▲三階　覺醒【洞見真實・解脫自在】301

這是通往覺醒之路的課程，在這個課程中，我們會透過特殊的概念和技巧，讓你脫離二元對立，直接體驗到真理。

真理無法口述，只能親身體驗。一旦洞見真實後，你的思維與對世界的看法將永遠改變。你除了會像《駭客任務》裡的 Neo 覺醒之外，更會讓你把力量帶回現實世界中。

洞見真理，會讓你永遠的解脫自在，你會時時刻刻都處於超越二元對立的狀態。

註：欲上本課程需先上過【二階　轉化】初級班。

▲三階　進階【順流人生・回歸喜悅】302

當你覺醒之後，人生不再有二元對立的時候，你應該如何在這個世間生活呢？想像生命中所有的可能性全部都開啟了，你又要如何選擇？

最後、最高階的課程，讓你在平行時空穿梭，任意的選擇最好版本的人生！

註：欲上本課程需先上過【三階　覺醒】。

■量子深層意識轉化

☆什麼是【量子深層意識轉化】？

每個人都具有無限的可能性，但是現在的你很可能被卡在目前生命中的困境，而看不到你還有其他的可能性。

透過【量子深層意識轉化】，王佑驊博士會進到宇宙的深層意識，幫助你重新看到你除了現況以外的其他可能性，在極快速的時間內轉化你的內在，高度的提升財運、感情、健康、家庭、工作等方面的問題。（可以把這當成穿梭平行時空的一種概念。）

【量子深層意識轉化】並不需要幫個案做催眠、NLP、家族排列、能量調整（靈氣或氣功發功等），也沒有做任何身體病症的治療。但是，只要你的深層意識能「看到」身體可以是健康的可能性，身心自然就會得到療癒。

☆「量子轉化」有限制什麼可以做、什麼不可以做嗎？

最近收到很多人詢問：「我可以用量子轉化來做XXX嗎？」

我的答案是，沒有什麼是不可以的，但是成事在天。

這是什麼意思呢？在「量子轉化」的過程中，我進到宇宙深層意識，幫你跟宇宙傳達你要的願望，我的工作就只是如此，除此之外沒有其他的。

如果你有去廟裡拜拜或禱告的經驗的話，你可以把我想像成是一個「有高度效率幫助你傳達訊息給神」的信差（這往往比你自己拜拜或禱告有效多了，因為我知道怎麼傳達訊息上去），我把你的願望傳達到了，剩下的就看上天要如何回應你了。（但是目前為止，我還沒看過有比直接跟宇宙意識溝通來的更有成功率的方法。）

你今天來找我做量子轉化而得到了財富、健康、感情、事業、子嗣等，這些都不是我的功勞，因為我不可能幫你賺錢、治病、談戀愛，更別說是生小孩！一切都是宇宙運作的結果。

☆請問王博士你如何進到宇宙的深層意識？

只要內心能夠安住於當下，任何人都可以進到宇宙深層意識。王博士有開設相關的系列課程，教導放下的技巧。

☆請問「量子轉化」可以遠距處理嗎？

可以，因為對宇宙而言，並沒有距離的問題。但是如果本人能夠來找王博士面對面溝通，王博士可以更加精準設定目標，效果會更好。

☆請問「量子轉化」可以處理什麼樣的問題？

從宇宙意識的角度來說，其實王博士並沒有處理任何的問題，只是開啟了你的問題可以被處理的可能性。但就一般人而言，任何問題都可以被處理的，包括：金錢、工作、感情、家庭、運勢等。不過，太奇怪的願望，像是希望某人死掉、搶銀行成功、妄想跟某明星藝人上床之類的願望，以及違反法律的行為，我都會拒絕。

☆請問多久會看到效果？

效果與速度因人而異，但是會被你本身對效果的設定所影響，所以請你想清楚你真的要什麼。

不是每件事情都如你願，對你來說就是最好的，請參考「塞翁失馬」的故事。

當下如果有比較明顯的狀況（像是疼痛），可以比較快看到差別。

☆請問做「量子轉化」需要花多久時間？多久要做一次？

目前安排一個人大約五至十分鐘即可。問題如果解決了，當然就不用再來下一次。每人每次限處理一個事件。如果覺得結果跟你的目標有所不同的話（這有可能發生），建議一星期後回來重新調整你的設定。

☆是不是一件事情只要轉化一次？

通常做完量子轉化後的當下，如果你感受到任何身體上的變化（頭暈、疲勞、想睡、更舒適、疾病的變化），或是情緒上的變化（更好或更壞），都是一個上天受理你請求、把你帶到你已經心想事成的平行時空的指標；接下來你要做的，就是靜觀其變（你將會看到外在世界的改變）。如果事情方向偏離了你要的設定，那麼就需要回來找我再轉化，我們調整一下方向。

請相信，只要有變化就是好事。

如果你情緒上真的還是因為很擔心事情的結果而感到焦慮、不耐煩等，請自己搭配「放下的技巧」，會讓你的量子轉化效果更好。這過程就像裝潢房子一樣，你不會只跟設計師溝通一次，然後到完成之前都不用再修改設計。只有你最清楚知道你想要的是什麼，我只是傳達訊息而已。這過程難免有誤差，或是你之後有了新的想法（比如說，一開始請求收入增加兩萬，後來覺得增加五萬比較好），所以有需要的話，還是要回來「修改」你的願望。

總而言之，量子轉化什麼都可以做，只要你相信宇宙的力量，放手交給宇宙去處理，那麼事情的成功率自然會提高許多。

☆我可以學「量子轉化」的技巧嗎？

目前王博士並沒有打算針對「量子轉化」做教導，但是王博士的身心靈課程是「量子轉化」的基礎。基本功扎實了，有天如果王博士有要開設「量子轉化」的課程時，將會事半功倍。

☆「量子轉化」便利貼☆

- 收費：因為這是來自上天的禮物，目前費用隨喜，讓更多的人能夠受惠。如果是本人不方便來晴康中心的話，可以寫信附上照片與費用，或是先轉帳後再寫信附上照片即可。
- 服務時間：目前每週二、五有量子轉化的服務，亦可電洽晴康身心靈中心詢問最新服務時間。
- 量子轉化☆免費☆幸運石大放送！目前每週二、五晴康中心將會每日提供限量十顆由王博士「量子轉化」後的幸運石（每週共二十顆），完全免費，每人限領一顆（請先預約避免向隅）。

  效期：可小幅提升一個月的運勢。

  使用方式：隨身配戴或放在口袋、包包即可。不忌諱廁所、廟宇、墳場等，一個月後如果覺得變更好運了，歡迎隨喜贊助加強你的運勢～

【參考文獻】

Abbas AK et al, Cellular and Molecular Immunology, 3rd Ed, WB Saunders, 1997
Block DM, The Revolution of Naturopathic Medicine, Collective Co-op Publishing, 2003
Bodenhamer B, The User's Manual For The Brain, Crown House, 1999
Dethlefsen T, TheHealing Power of Illness, Element Books Ltd, 1997
Eden D, Energy Medicine, Tarcher Penguin, 1998
Elmiger J, Rediscovering Real Medicine, Vega, 2001
Hahnemann S, Organon of the Medical Art, Birdcage Books, 1996
Hershoff A, Homeopathic Remedies, Avery, 2000
Jarvis C, Physical Examination and Health Assessment, 3rd Ed, WB Saunders, 2000
Lindlahr H, Philosophy of Natural Therapeutics, Hillman Printers, 2000
Middlebrooks J, Audage N, The Effects of Childhood Stress On Health Across The Lifespan, U.S. Department of Health and Human Services, Center for Disease Control and Prevention, 2008
Murray M, The Pill Book Guide to Natural Medicines, Bantam Books, 2002
Pagana KD, Pagna TJ, Mosby's Diagnostic and Laboratory Test Reference, 6th Ed, Mosby, 2001
Pizzorno JE, Murray MT, Textbook of Natural Medicine, 2nd Edition, Churchill Livingstone, 1999
Reuben C, Cleansing the Body, Mind and Spirit, Berkley, 1998
Roberts J, The Way Toward Health: A Seth Book, Amber-Allen Publishing, 1997
Roberts J, The Nature of Personal Reality, Amber-Allen Publishing, 1994
Schachter M, What Your Doctor May Not Tell You About Depression, Warner Wellness, 2006
Servan-Schreiber D, The Instinct to Heal, Rodale Inc, 2003
Shapiro D, Your Body Speaks Your Mind, Crossing PR, 1997
Segerstrom SC, Stress, Energy, and Immunity: An Ecological View, CurrDirPsychol Sci. 2007; 16(6): 326–330.
Segerstrom SC, Miller GE, Psychological stress and the human immune system: a meta-analytic study of 30 years of inquiry. Psychol Bull. 2004 Jul;130(4):601-30.
Silverthorn, Human Physiology, 2nd Ed, Prentice Hall, 2001
The Patient Handouts, Robert Schad Naturopathic Clinic, 2005
The Class Notes and Handouts, The Canadian College of Naturopathic Medicine, 2001-2005
Tiller W, Science and Human Transformation, Pavior, 1997
Viagas BG, Natural Remedies for Common Complaints, Chivers Large Print, 1996
Walther DS, Applied Kinesiology, Systems DC, 1998
Weatherby D, Signs and Symptoms Analysis from a Functional Perspective, Nutritional Therapy Association, 2004
Wilson J, Adrenal Fatigue, Smart Publications, 2000

Siegel, B《愛．醫藥．奇蹟》，遠流 2001
Weil A《痊癒之鑰在自己》，遠流 1997
王佑驊《自然醫學 DIY》，商周 2009
王佑驊《放下的力量》，商周 2012
王佑驊等《健康大秘密》，圓神 2008
卡爾．薛曼、美國《預防雜誌》編輯群《減輕壓力 51 妙招》，新自然主義 2001
尼克．歐爾納《釋放更自在的自己》，天下雜誌 2014
尼爾．唐納．沃許《與神對話》，方智 1998
本間良子《揮之不去的疲勞，是因為「腎上腺疲勞」》，如何 2014
石原結實《治百病就靠體溫，連癌症都是！》，野人文化 2010
伊藤克人《一日 5 分鐘，搞定自律神經失調》，方舟文化 2013

伊藤剛《活絡副交感神經、調和身體！》，天下雜誌 2014
艾瑞克・西洛瑟《速食共和國 - 速食的黑暗面》，天下雜誌 2002
克莉絲汀・寇威爾《身體的情緒地圖》，心靈工坊 2004
吳慎《生命之樂，樂先藥後》，身體工房 2007
李泓斌《圖說巴哈花精》，華源堂中醫診所 2007
李穎哲《巴赫醫師人生教科書》，巴赫實業有限公司 2007
李靜宜《這樣呼吸效果驚人》，方智 2009
佩姬・馬克爾《秘密沒說完的事》，方智 2008
尚・塔波特《輕鬆擺脫壓力》，原水文化 2003
林建昌《用中醫調好自律神經》，晶冠 2013
洛伊・馬提納《學會情緒平衡的方法》，方智 2002
洛伊・馬提納《學會情緒平衡的方法 2》，方智 2009
尤阿希姆・法爾史提希《內在的療癒力量》，方智 2009
約瑟夫・墨菲 ,《潛意識的力量》, 印刻文學 , 2009
迪特爾・拉德維希《上癮的祕密》，晨星 2005
朗達・拜恩《秘密》，方智 2007
許添盛《身心靈健康的 10 堂必修課》，賽斯文化 2008
許添盛《許你一個耶穌》，賽斯文化 2009
許添盛《許醫師抗憂鬱處方》，賽斯文化 2009
許添盛《許醫師諮商現場》，賽斯文化 2007
郭育祥《不想生病就搞定自律神經》，柿子文化 2010
勞伯・薛佛德《你值得過更好的生活》，大塊文化 2009
喬・維泰利；伊賀列卡拉・修・藍《零極限》，方智 2009
游敬倫《不運動當然會生病》，新自然主義 2009
奧修《靜心與健康》，奧修出版社 1996
詹姆士・雷《和諧財富》，高寶出版 2009
雷久南《雷久南健康隨身書》，天下文化 2001
維登・麥凱博《同類療法 I – 健康新抉擇》、《同類療法 II – 改善你的體質》，生命潛能 1999
瓊恩・波利森科；萊利・羅斯汀《關照身體修復心靈》，張老師文化 2009
羅布・普瑞斯《榮格與密宗的 29 個覺》，人本自然 2008
羅傑・卡拉漢《敲醒心靈的能量》，心靈工坊 2003
寶琳・瓦林《心中壞小孩》，張老師文化 2002
露易絲・賀《身體調癒的訊息》，天鏡文化 2006
露易絲・賀《創造生命的力量》，天鏡文化 2006
露易絲・賀《創造生命的奇蹟》，天鏡文化 2004

其他參考資料來源

www.aanmc.org 美國自然醫學院認證協會網站
www.apahelpcenter.org 美國心理學協會
www.appledaily.com.tw 蘋果日報
www.britannica.com 大英百科全書
www.ccnm.edu 加拿大自然醫學院學習資料庫
www.doh.gov.tw/statistic/index.htm 中華民國行政院衛生署統計室
www.emofree.com 情緒釋放技巧官方網站
www.hc-sc.gc.ca/index-eng.php 加拿大衛生署網站
http://www.pitt.edu/~cbw/altm.html 另類醫學網站
www.pubmed.com 美國國家醫學圖書館搜索服務
www.tatlife.com 達帕斯指壓技巧官方網站
tw.news.yahoo.com 奇摩新聞
www.who.int 世界衛生組織
www.wikipedia.com 維基百科

國家圖書館出版品預行編目資料

不開心，當然會生病：情緒排毒治百病 / 王佑驊著 . -- 初版 . -- 臺北市：商周出版：家庭傳媒城邦分公司發行，2015.05
面； 公分

ISBN 978-986-272-793-5 (平裝)

1. 自然療法 2. 情緒 3. 抗壓

411.1 104006252

不開心，當然會生病：情緒排毒治百病

作　　者 / 王永憲
企劃選書 / 徐藍萍
責任編輯 / 徐藍萍
特約編輯 / 謝函芳

版　　權 / 黃淑敏、翁靜如、吳亭儀
行銷業務 / 莊英傑、王瑜、周佑潔
總 編 輯 / 徐藍萍
總 經 理 / 彭之琬
發 行 人 / 何飛鵬
法律顧問 / 台英國際商務法律事務所 羅明通律師
出　　版 / 商周出版
台北市104民生東路二段141號9樓
電話：(02) 25007008　傳眞：(02)25007759
E-mail：bwp.service@cite.com.tw
Blog：http://bwp25007008.pixnet.net/blog
發　　行 / 英屬蓋曼群島商家庭傳媒股份有限公司 城邦分公司
台北市中山區民生東路二段141號2樓
書虫客服服務專線：02-25007718；25007719
服務時間：週一至週五上午 09:30-12:00；下午 13:30-17:00
24 小時傳眞專線：02-25001990；25001991
劃撥帳號：19863813；戶名：書虫股份有限公司
讀者服務信箱：service@readingclub.com.tw
城邦讀書花園：www.cite.com.tw
香港發行所 / 城邦（香港）出版集團有限公司
香港灣仔駱克道193號東超商業中心1樓；E-mail：hkcite@biznetvigator.com
電話：(852) 25086231　傳眞：(852) 25789337
馬新發行所 / 城邦（馬新）出版集團 Cite (M) Sdn. Bhd.
41, Jalan Radin Anum, Bandar Baru Sri Petaling, 57000 Kuala Lumpur, Malaysia.
Tel: (603) 90578822 Fax: (603) 90576622 Email: cite@cite.com.my

封面設計 / 張燕儀
排　　版 / 極翔企業有限公司
印　　刷 / 卡樂彩色製版印刷有限公司
總 經 銷 / 高見文化行銷股份有限公司　新北市樹林區佳園路二段70-1號
電話：(02)2668-9005　傳眞：(02)2668-9790　客服專線：0800-055-365

■2014年5月7日初版　2020年1月30日二版　Printed in Taiwan

定價420元

城邦讀書花園
www.cite.com.tw

 ISBN 978-986-272-793-5　EAN 4717702100001